GRöLS
Verlage

„BÜCHER SIND WIE FALLSCHIRME. SIE NÜTZEN UNS NICHTS, WENN WIR SIE NICHT ÖFFNEN."

Gröls Verlag

Redaktionelle Hinweise und Impressum

Das vorliegende Werk wurde zugunsten der Authentizität sehr zurückhaltend bearbeitet. So wurden etwa ursprüngliche Rechtschreibfehler *nicht* systematisch behoben, denn kleine Unvollkommenheiten machen das Buch – wie im Übrigen den Menschen – erst authentisch. Mitunter wurden jedoch zum Beispiel Absätze behutsam neu getrennt, um den Lesefluss zu erleichtern.

Um die Texte zu rekonstruieren, werden antiquarische Bücher von Lesegeräten gescannt und dann durch eine Software lesbar gemacht. Der so entstandene Text wird von Menschen gegengelesen und korrigiert – hierbei treten auch Fehler auf. Wenn Sie ebenfalls antiquarische Texte einreichen möchten, finden Sie weitere Informationen auf www.groels.de

Viel Freude bei der Lektüre wünscht Ihnen das Team des Gröls-Verlags.

Adressen

Verleger: Sophia Gröls, Im Borngrund 26, 61440 Oberursel

Externer Dienstleister für Distribution & Herstellung: BoD, In de Tarpen 42, 22848 Norderstedt

Unsere „Edition | Werke der Weltliteratur“ hat den Anspruch, eine der größten und vollständigsten Sammlungen klassischer Literatur in deutscher Sprache zu sein. Nach und nach versammeln wir hier nicht nur die „üblichen Verdächtigen“ von Goethe bis Schiller, sondern auch Kleinode der vergangenen Jahrhunderte, die – zu Unrecht – drohen, in Vergessenheit zu geraten. Wir kultivieren und kuratieren damit einen der wertvollsten Bereiche der abendländischen Kultur. Kleine Auswahl:

Francis Bacon • Neues Organon • **Balzac** • Glanz und Elend der Kurtisanen • **Joachim H. Campe** • Robinson der Jüngere • **Dante Alighieri** • Die Göttliche Komödie • **Daniel Defoe** • Robinson Crusoe • **Charles Dickens** • Oliver Twist • **Denis Diderot** • Jacques der Fatalist • **Fjodor Dostojewski** • Schuld und Sühne • **Arthur Conan Doyle** • Der Hund von Baskerville • **Marie von Ebner-Eschenbach** • Das Gemeindekind • **Elisabeth von Österreich** • Das Poetische Tagebuch • **Friedrich Engels** • Die Lage der arbeitenden Klasse • **Ludwig Feuerbach** • Das Wesen des Christentums • **Johann G. Fichte** • Reden an die deutsche Nation • **Fitzgerald** • Zärtlich ist die Nacht • **Flaubert** • Madame Bovary • **Gorch Fock** • Seefahrt ist not! • **Theodor Fontane** • Effi Briest • **Robert Musil** • Über die Dummheit • **Edgar Wallace** • Der Frosch mit der Maske • **Jakob Wassermann** • Der Fall Maurizius • **Oscar Wilde** • Das Bildnis des Dorian Grey • **Émile Zola** • Germinal • **Stefan Zweig** • Schachnovelle • **Hugo von Hofmannsthal** • Der Tor und der Tod • **Anton Tschechow** • Ein Heiratsantrag • **Arthur Schnitzler** • Reigen • **Friedrich Schiller** • Kabale und Liebe • **Nicolo Machiavelli** • Der Fürst • **Gotthold E. Lessing** • Nathan der Weise • **Augustinus** • Die Bekenntnisse des heiligen Augustinus • **Marcus Aurelius** • Selbstbetrachtungen • **Charles Baudelaire** • Die Blumen des Bösen • **Harriett Stowe** • Onkel Toms Hütte • **Walter Benjamin** • Deutsche Menschen • **Hugo Bettauer** • Die Stadt ohne Juden • **Lewis Caroll** • *und viele mehr….*

Ödön von Horváth

Der jüngste Tag

Inhalt

Personen:

Thomas Hudetz, Stationsvorstand

Frau Hudetz

Alfons Hudetz, ihr Bruder, Drogeriebesitzer

Der Wirt zum „Wilden Mann“

Anna, seine Tochter

Ferdinand, deren Bräutigam, ein Fleischhauer von auswärts

Leni, Kellnerin beim „Wilden Mann“

Frau Leimgruber

Ein Waldarbeiter

Ein Vertreter

Ein Gendarm

Kohut, ein Heizer

Ein Staatsanwalt

Ein Kommissar

Ein Kriminaler

Ein Streckengeher

Pokorny, ein seliger Lokomotivführer

Ein Gast

Ein Kind.

Schauplätze:

Erstes Bild: Kleine Bahnstation

Zweites Bild: Auf dem Bahndamm, wo zwei Züge zusammengestoßen sind

Drittes Bild: Das Gasthaus zum „Wilden Mann“

Viertes Bild: Beim Viadukt

Fünftes Bild: Im Gasthaus zum „Wilden Mann“

Sechstes Bild: In der Drogerie

Siebentes Bild: Auf dem Bahndamm, wo einst die beiden Züge zusammengestoßen sind.

In unseren Tagen.

Zwischen dem zweiten und dritten Bild liegen vier Monate.

Pause nach dem fünften Bild.

Erstes Bild

Wir befinden uns vor einem Bahnhofsgebäude und sehen von links nach rechts eine Tür, die nach dem ersten Stock führt, einen Fahrkartenschalter und abermals eine Tür mit Milchglasscheiben und der Überschrift „Stationsvorstand". Daneben einige Signalhebel, Laufwerk und dergleichen. An der Wand kleben Fahrpläne und Reisereklame. Zwei Bänke. Rechts verläuft aus dem Hintergrunde nach vorne die Bahnsteigschranke, aber die Schienen sieht man nicht – man hört also nur die Ankunft, Abfahrt und Durchfahrt der Züge. Hier hält kein Expreß, ja nicht einmal ein Eilzug, denn der Ort, zu dem dieser Bahnhof gehört, ist nur ein etwas größeres Dorf. Es ist eine kleine Station, aber an einer großen Linie. Auf den Bänken warten zwei Reisende: Die Bäckermeistersgattin Frau Leimgruber und ein Waldarbeiter mit einem leeren Rucksack und einer Baumsäge. Das Läutwerk läutet, dann wirds gleich wieder still.

Jetzt kommt ein dritter Reisender von links mit Hand- und Aktentasche, ein Vertreter aus der Stadt. Er hält und blickt auf die Bahnhofsuhr. Es ist neun Uhr abends, eine warme Frühlingsnacht.

Vertreter tritt an den Fahrkartenschalter und klopft, aber es rührt sich nichts, er klopft abermals, und zwar energisch.

Waldarbeiter Da könnens lang klopfen, der macht erst knapp vor Abfahrt auf.

Vertreter *blickt wieder auf die Uhr*: Hat denn der Zug Verspätung?

Frau Leimgruber *lacht hellauf, zum Waldarbeiter*: Was sagens zu dieser Frage?

Waldarbeiter *grinst*: Der Herr kommt vom Mond – *Zum Vertreter.* Natürlich haben wir Verspätung, dreiviertel Stund!

Vertreter Dreiviertel Stund? Elende Schlamperei – *Er zündet sich wütend eine Zigarre an.*

Frau Leimgruber Es ist eben alles desorganisiert –

Waldarbeiter *fällt ihr belehrend ins Wort*: Es kommt eben alles daher, weil immer nur abgebaut und abgebaut wird. – Die werden noch so lange rationalisieren, bis überhaupt nix mehr fahren wird.

Vertreter *bläst den Rauch von sich*: „Rationalisierung" – ein übles Kapitel.

Waldarbeiter Die schicken ja jeden zum Teufel, das beste Menschenmaterial.

Frau Leimgruber *wird plötzlich geschwätzig, zum Vertreter*: Zum Beispiel hier auf unserem Bahnhof: was meinens, wieviel Personal wir da haben? Einen, einen einzigen Mann haben wir da.

Vertreter *perplex*: Wieso dies? Nur einen einzigen Beamten?

Frau Leimgruber Zum Glück ist unser Herr Vorstand ein wirklich tüchtiger Mann, ein gebildeter, höflicher, emsiger Charakter, ein selten strammer Mensch! Der scheut keine Arbeit, er trägt die Koffer, vernagelt die Kisten, stellt die Weichen, steht am Schalter, telegraphiert und telephoniert: – alles in einer Person! Und miserabel bezahlt ist er auch.

Waldarbeiter Wer?

Frau Leimgruber Na der Vorstand.

Waldarbeiter Miserabel nennen Sie das? Ich nenn das eine königliche Gage – denkens doch nur an seine freie Dienstwohnung da droben! *Er deutet auf den ersten Stock*. Der hat ja sogar einen

Salon und wenn er aufsteht, hört er die Vöglein zwitschern und sieht weit ins Land – *Er grinst. Jetzt läutet das Läutwerk und der Stationsvorstand Thomas Hudetz tritt rasch aus seiner Türe, er bedient den Signalhebel und schon rast ein Schnellzug vorbei, er salutiert und wieder ab.*

Frau Leimgruber Das war der Expreß, der hält nicht bei uns.

Vertreter Kann ich ihm nachfühlen. Wieviel Einwohner hat denn das Nest?

Waldarbeiter Zweitausenddreihundertvierundsechzig.

Stille.

Frau Leimgruber *betrachtet den Vertreter, plötzlich*: Hats Ihnen bei uns nicht gefallen?

Vertreter Ich bin ein reisender Kaufmann, liebe Frau, und das Schicksal hat mich weit in der Welt herumgetrieben, aber eine solche fulminante Interessenlosigkeit wie hier bei euch, das hab ich noch nirgends erlebt! Ihr seid mir schöne Ausnahmen!

Frau Leimgruber Was habens denn zu verkaufen?

Vertreter Kosmetische Artikel.

Waldarbeiter Ha?

Vertreter Schönheitsmittel.

Waldarbeiter Schönheit? *Er grinst.* Wir sind uns schön genug.

Vertreter Die Hauptsache ist, daß man sich selber gefällt – *Er wendet sich wieder an Frau Leimgruber.* Eine einzige Kundschaft hat sich meiner erbarmt – *Er lächelt geschmerzt.*

Frau Leimgruber *sehr neugierig*: Wer?

Vertreter Das Fräulein Kellnerin beim Wilden Mann.

Waldarbeiter *überrascht*: Die Leni? Also das gibts nicht!

Vertreter *perplex*: Warum soll es das nicht geben?

Waldarbeiter Weil die nicht so blöd ist, daß sie sich so einen Schönheitsschmarren einreden läßt.

Vertreter *braust auf*: Erlauben Sie mal! Im zwanzigsten Jahrhundert –

Frau Leimgruber *unterbricht ihn, zum Waldarbeiter*: Aber der Herr wirds doch wissen, wem er was verkauft hat.

Vertreter *empört*: So eine kleine, schlanke wars – noch ein halbes Kind.

Frau Leimgruber *zum Waldarbeiter*: Ach, der meint die Anna!

Waldarbeiter Drum!

Frau Leimgruber *zum Vertreter, geschwätzig*: Das ist nicht die Kellnerin, das ist die Tochter vom Wirt, die Anna! Sie ist mit einem Fleischhauer verlobt, aber der ist von auswärts und kommt nur einmal in der Woche.

Vertreter Von mir aus.

Waldarbeiter Ich sag nur, die hats faustdick hinter den Ohren.

Frau Leimgruber *überrascht*: Wer?

Waldarbeiter Na, die Anna. *Höhnisch*. Dem Herrn sein halbes Kind!

Frau Leimgruber Aber wie könnens denn so was sagen! Die Anna ist doch die personifizierte Unschuld in persona.

Waldarbeiter Unschuldig ist sie vielleicht schon, aber trotzdem hat sies hinter den Ohren.

Frau Leimgruber *zum Vertreter*: So wird man unschuldig verleumdet.

Vertreter *halb zu sich*: Der Einbruch der Plebejer. Der Untergang des Abendlandes –

Jetzt tritt aus der Tür links die Gattin des Stationsvorstandes, Frau Hudetz, mit ihrem Bruder Alfons, dem Drogisten.

Frau Leimgruber *grüßt*: Guten Abend, Frau Vorstand!

Frau Hudetz Guten Abend, Frau Leimgruber. Sie unterhält sich leise mit Alfons.

Frau Leimgruber *versucht zu horchen, kann aber nichts verstehen, wendet sich an den Vertreter, der neben ihr Platz genommen hat, und deutet versteckt auf Frau Hudetz, unterdrückt*: Das ist die Gattin des Vorstandes.

Vertreter *desinteressiert*: Interessant.

Frau Leimgruber Und der Mann ist ihr Bruder.

Vertreter *sieht gar nicht hin*: Aha.

Frau Leimgruber *gehässig*: Brüderlein und Schwesterlein, die passen prima zusammen –

Nun läutet das Läutwerk wieder und Hudetz tritt rasch aus seiner Tür, wieder bedient er den Signalhebel und schon rast ein Zug vorbei, er salutiert und will ab, erblickt jedoch überrascht seine Frau und Alfons, die beiden Männer fixieren sich etwas, dann grüßt Alfons, Hudetz dankt und ab durch seine Tür.

Frau Hudetz *leise zu Alfons*: Er spricht seit Tagen kein Wort mehr mit mir.

Alfons Nur Mut, Schwester.

Frau Hudetz Wirst sehen, ich werde noch verrückt.

Alfons Du bist überreizt durch euren ewigen Streit.

Frau Hudetz Aber die Stimme, die ich höre –

Alfons *fällt ihr ins Wort*: Wir hatten in unserer Familie keinen einzigen Fall von Geisteskrankheit. Deine Erregungszustände sind nur nervöser Natur und sonst nichts, das wird dir jeder Arzt bestätigen. Eure Ehe ist leider ein gordischer Knoten und es gibt nur eine Lösung.

Frau Hudetz unterbricht ihn: Hör auf damit! Daran darf ich gar nicht denken, daß er mit einer anderen Frau – ich hab ihm ja gesagt, noch bevor wir heirateten: überlege dir gut, habe ich gesagt, ich bin um dreizehn Jahre älter wie du und er hat gesagt, er hätt sich nichts zu überlegen.

Alfons *fällt ihr ins Wort*: Und das war gelogen.

Frau Hudetz Damals noch nicht.

Stille.

Alfons Zwischen euch zwei hats noch nie gestimmt.

Frau Hudetz Aber ich laß mich nicht scheiden, hörst du, ich tät lieber über Nacht ganz weiß werden, ganz weiß –

Alfons Nicht so laut. *Er wirft einen mißtrauischen Blick auf Frau Leimgruber und redet dann leise auf Frau Hudetz ein.*

Frau Leimgruber *leise zum Vertreter, der sich in seine Notizbücher vertieft hat, rechnet und hört kaum hin*: Das ist dir eine Kanaille – diese verhaßte Person – wie die den armen Vorstand quält, diesen kreuzbraven, beliebten Menschen – na das ist eine Affenschand.

Vertreter Soso.

Frau Leimgruber Immer sekkiert sie den Mann mit ihrer blinden Eifersucht und er traut sich schon kaum mehr ins Wirtshaus, weil sie ihm nachschleicht und wenn ihn die Kellnerin anschaut, hat er die Höll zu Hause –

Vertreter Soso.

Frau Leimgruber Im Fasching hat sie da droben mal so geplärrt und geschrien, daß mans bis in den Ort hinein gehört hat, die hysterische Nocken – derweil hat er sie gar nicht angerührt und sie hat immer gebrüllt: „Er bringt mich um, er bringt mich um!“ Meiner Seel, der gehört der Hintern verhaut, daß er nur so staubt.

Vertreter *horcht plötzlich auf*: Was für ein Hintern?

Frau Leimgruber *gekränkt*: Geh, Sie hören mir ja gar nicht zu und ich erzähl Ihnen da Intimitäten.

Vertreter Pardon.

Stille.

Alfons *leise zu Frau Hudetz*: Wie wärs denn, wenn du mal fortfahren würdest – ich seh dort ein Plakat, man kann jetzt relativ billig ans Meer.

Frau Hudetz *verbittert*: Mit was denn?

Alfons Ich könnt dir was leihen, ich hab mir etwas gespart.

Frau Hudetz *lächelt*: Nein, du bist doch der Beste und der Liebste, wenn die Leut nur mal wüßten, wie gut du bist.

Alfons Ich bin kein Heiliger. Aber die lieben Leut, das ist ein Fall für sich –

Frau Hudetz Ich kann sie nicht ausstehen.

Alfons Das finde ich nur begreiflich.

Frau Hudetz Von mir aus könnten alle draufgehen –

Alfons *lächelt*: Das ginge wieder zu weit.

Frau Hudetz *lächelt lieb*: Alle, alle – lebwohl, lieber Bruder.

Alfons Überleg dirs, du kannst ans Meer, wenn du nur willst.

Frau Hudetz plötzlich ernst und hart: Nein, ich bleibe. Pa, Alfons! *Ab durch die Tür links.*

Vertreter erblickt erst jetzt Alfons und starrt ihn an.

Alfons *sieht Frau Hudetz nach und murmelt dann vor sich hin*: Leb wohl – *Ab nach links, in Gedanken versunken.*

Vertreter *schaut ihm nach und wendet sich wieder an Frau Leimgruber*: War das jetzt nicht der Drogeriebesitzer?

Frau Leimgruber Derselbe.

Vertreter Ein unangenehmer Mensch, wie der mich heut behandelt hat.

Frau Leimgruber Wie?

Vertreter *zuckt die Schulter*: Das läßt sich nicht so definieren.

Stille.

Frau Leimgruber Ja, der ist auch sehr verhaßt, dieser Drogist.

Vertreter Mit Recht.

Frau Leimgruber Der und seine Schwester, denen geht man aus dem Weg. Immer Schneidens so stolze, gekränkte Gesichter, daß man sich direkt schuldig vorkommt, als hätt man ihnen was getan – aber man ist doch nicht verantwortlich dafür, daß er sein vieles Geld in der Inflation verloren hat und daß sie den Herrn Vorstand in eine unselige Ehe gepreßt hat – dreizehn Jahr ist sie älter wie er.

Vertreter *fällt ihr ins Wort*: Dreizehn Jahr?

Frau Leimgruber Verführt hat sie diesen strammen, gebildeten Menschen, noch als ganz jungen Burschen. Ein Schandweib.

Vertreter Jaja, die Herren Weiber, die bringen dich auf die Welt, und dich auch wieder um.

Nun kommt Ferdinand, ein Fleischhauer von auswärts, mit seiner Braut, der Wirtstochter Anna, rasch von links, beide sind etwas atemlos, denn sie sind fast gelaufen.

Ferdinand *hastig zum Waldarbeiter, der seit einiger Zeit bereits apathisch ein großes Stück Brot verzehrt und an nichts denkt*: Ist der Zug schon fort?

Waldarbeiter Ah!

Anna *zu Ferdinand*: Siehst du, ich habe dir gleich gesagt, der hat doch immer Verspätung.

Ferdinand Aber auf eine Verspätung soll man sich nicht verlassen.

Anna *hält die Hand auf ihr Herz*: Gott, bin ich jetzt gelaufen.

Ferdinand *besorgt*: Tuts dir weh, dein Herzerl?

Anna Nein, es klopft nur so rasch – *Ferdinand hält seine Hand auf ihr Herz und lauscht*. Hörst es?

Ferdinand Ja.

Frau Leimgruber *leise zum Vertreter*: Dort steht die Anna.

Vertreter Was für eine Anna?

Frau Leimgruber Na, Ihr bewußtes halbes Kind.

Vertreter *erkennt Anna*: Ach, die Wirtstochter. Meine einzige Kundschaft – *Er grüßt Anna und murmelt dabei*. Mein schönes Fräulein, darf ichs wagen – *Anna dankt schüchtern*.

Ferdinand *zu Anna, mißtrauisch*: Wer ist denn das?

Anna Sag ich nicht.

Ferdinand Warum nicht?

Anna Weil du dann wieder schimpfen wirst.

Ferdinand Ich schimpfe nie.

Anna Oho!

Ferdinand fixiert den Vertreter.

Vertreter *wird es ungemütlich; leise zu Frau Leimgruber*: Wer ist denn der Kerl, daß er so glotzt?

Frau Leimgruber Das ist der Anna ihr auswärtiger Bräutigam. Ein gewisser Ferdinand Bichler, ein Fleischhauer.

Vertreter *fühlt sich immer ungemütlicher*: Ach, ein Herr Fleischhauer.

Frau Leimgruber Ein Mordstrum Mannsbild, aber ein sanfter Charakter.

Nun öffnet Hudetz den Fahrkartenschalter.

Vertreter *atmet auf*: Endlich! *Er tritt an den Schalter und löst sich eine Karte.*

Ferdinand *zu Anna*: Sags mir auf der Stell oder ich brech ihm das Genick.

Anna *lächelt*: Also gut: das ist der Reisende, dem ich heut vormittag die Creme abgekauft habe.

Ferdinand *beruhigt*: Also. Aber du brauchst doch keine Creme und kein Puder und kein nichts –

Anna *unterbricht ihn*: Fängst schon wieder an?

Stille.

Ferdinand *etwas kleinlaut*: Annerl. Ich mein ja nur, so zart wie dein rosiges Gesichterl, kann nichts Künstliches auf der Welt sein –

Anna Erinnerst du dich an den letzten Film? Gott, hat mir die Frau gefallen.

Ferdinand Mir gar nicht.

Anna Sag das nur nicht laut! Sonst blamierst dich noch tödlich.

Stille.

Ferdinand *traurig*: Ach, Anna. *Er legt seine Hand um ihre Schulter und blickt empor*. Weißt, wenn ich unsere Sterndel seh, dann möcht ich immer bei dir sein.

Anna *blickt auch empor*: Du siehst mich doch bald.

Ferdinand *nickt traurig:* In einer Woch. Und morgen beginnt wieder der Alltag, ich muß schon um viere aus den Federn –

Anna Hast was zum schlachten?

Ferdinand Nur zwei Kälber –

Das Läutwerk läutet, Hudetz tritt rasch aus seiner Tür und öffnet die Bahnsteigschranke, der Waldarbeiter, Frau Leimgruber und der Vertreter begeben sich auf den Bahnsteig, Hudetz durchlöchert die Karten.

Vertreter *zu Hudetz*: Ist das bei euch die Regel? Dreiviertel Stund Verspätung? *Hudetz zuckt die Schultern und lächelt.*
Desorganisation –

Frau Leimgruber *zum Vertreter*: Aber der Herr Vorstand ist doch unschuldig!

Hudetz lächelt Frau Leimgruber an und hebt höflich die Hand an die Kappe.

Der Personenzug fährt ein und hält.

Ferdinand *zu Anna:* Vergiß mich nicht! *Er umarmt sie und ab auf den Bahnsteig.*

Anna tritt langsam an die Schranke.

Hudetz gibt das Abfahrtssignal.

Der Zug jährt ab, das Laufwerk läutet.

Anna winkt langsam dem Zug nach.

Hudetz schließt die Bahnsteigschranke.

Anna *betrachtet ihn plötzlich*: Ist niemand gekommen?

Hudetz Nein. *Er bedient das Signal und will wieder ab durch seine Tür.*

Anna Herr Vorstand. Warum beehren Sie uns eigentlich nicht mehr? Mein Vater meint schon, Sie hätten anderswo einen Stammtisch?

Hudetz Ich komm zu nichts mehr, Fräulein Anna. Ich hab halt immer Dienst.

Anna Dann ists ja gut. Ich dachte schon, Sie kämen nicht mehr zu uns wegen mir.

Hudetz *ehrlich überrascht*: Warum wegen Ihnen?

Anna Ich dacht wegen Ihrer Frau.

Hudetz Was hat meine Frau mit Ihnen zu tun?

Anna Sie mag mich nicht.

Hudetz Geh, bildens Ihnen doch nichts ein! *Er stockt plötzlich und starrt auf den ersten Stock hinauf.*

Stille.

Anna *ironisch*: Was ist denn dort droben?

Hudetz Nichts.

Anna Habens Angst, daß Sie Ihre Frau mit einem jungen Mädel sieht? Dürfens mit mir nicht sprechen?

Hudetz Sie müssens ja wissen.

Anna Wenn Sie jetzt mit mir sprechen, kriegens morgen wieder einen Krach, was?

Hudetz Wer sagt das?

Anna Alle Leut.

Stille.

Hudetz *fixiert sie*: Ihr sollt endlich mal meine Frau in Ruh lassen, verstanden? Ihr alle und Sie, Fräulein Anna, erst recht. Sie sind überhaupt noch viel zu jung dazu, um da mitzureden –

Anna *spöttisch*: Meinen Sie?

Hudetz Sie werden erst noch manches lernen müssen, bis Sie anfangen werden, zu begreifen –

Anna *wie zuvor*: Geh, unterrichtens mich ein bisserl, Herr Lehrer –

Hudetz Sie werden schon von allein lernen, daß man niemand kränken darf, um nicht bestraft zu werden.

Anna Jetzt redens gar wie der Herr Pfarrer – *Sie lacht.*

Hudetz Lachens nur, wir sprechen uns noch – *Er will ab.*

Anna Alle Leut lachen über Sie, Herr Vorstand. Sie fragen sich, was treibt er denn eigentlich, dieser fesche Mensch – immer steckt er in seinem Bahnhof, Tag und Nacht –

Hudetz *grimmig*: Die Leut scheinen sich ja recht viel mit mir zu beschäftigen.

Anna Ja, sie sagen, der Vorstand ist überhaupt kein Mann.

Stille.

Hudetz Wer sagt das?

Anna Die ganze Welt. Nur ich nehme Sie manchmal in Schutz. *Sie lächelt boshaft, küßt ihn plötzlich und deutet nach dem ersten Stock.* Jetzt hat sies gesehen, daß ich Sie geküßt hab, was? *Sie lacht.* Jetzt gibts aber dann was? *Sie lacht.* Jetzt setzt es was ab, wie? *Sie macht die Geste des Verprügelns.*

Hudetz *starrt sie an*: Wenn Sie jetzt nicht augenblicklich verschwinden, dann könnens was erleben!

Anna Wollens mich umbringen?

Hudetz Lassens die blöden Ideen, weg von da! *Er ergreift ihren Arm.*

Anna Au, lassens mich, Sie Grobian! *Sie reißt sich los und reibt ihren Arm.* Verstehns denn keinen Witz?

Hudetz *grob*: Nein!

Jetzt fährt ein Eilzug vorbei.

Hudetz Himmel tu dich auf. *Er reißt einen Signalhebel herum, das Läutwerk läutet, er faßt sich ans Herz.*

Anna *bange*: Was ist denn passiert?

Hudetz *starrt vor sich hin, tonlos*: Eilzug vierhundertfünf und ich vergiß das Signal – *Er fährt sie an.* Da habens Ihren Witz. Ich war immer ein pflichttreuer Beamter!

Anna Es wird schon nicht gleich was passieren –

Hudetz Halt den Mund! *Ab durch die Tür.*

Zweites Bild

Der Eilzug vierhundertfünf, dem kein Signal gegeben wurde, ist unweit des kleinen Bahnhofes mit einem Güterzug zusammengestoßen. Wir befinden uns an der Unglücksstätte. Wirre Trümmer auf dem Bahndamm im Hintergrunde. Die Verletzten und die Toten wurden bereits abtransportiert. Pioniere sind mit den Aufräumungsarbeiten beschäftigt. Rechts im Vordergrund steht ein kleiner schwarzer Tisch mit einer Lampe. Der Staatsanwalt mit Gefolge ist bereits längst zugegen, zur Zeit besichtigt er das Signal auf dem Bahndamm, es leuchtet rot. Von der ganzen Gegend sind Schaulustige eingetroffen, unter ihnen der Wirt vom Wilden Mann, seine Tochter Anna und seine Kellnerin Leni. Im Vordergrunde links hält ein Gendarm mit aufgepflanztem Bajonett die Neugierigen in Schach. Der Morgen graut, es wird ein fahler Tag. Alles fröstelt.

Gendarm Zurück. Leute, zurück! Könnt euch denn gar nicht satt sehen an einer Katastrophe?

Wirt Sowas sieht man nicht alle Tag –

Leni *zum Gendarm*: Ist er eigentlich entgleist?

Gendarm Nein, er ist zusammengestoßen. Der Eilzug mit einem Güterzug – vor fünfeinhalb Stunden.

Leni Schrecklich! Als wär die Erde explodiert – *Sie schmiegt sich unerklärlich an den Wirt*. Ich werd noch davon träumen –

Wirt *drückt Leni unwillkürlich an sich*: Also das ist Gottes Hand, auf und nieder.

Nun taucht der Heizer des Unglückswagens auf, er trägt einen Verband um den Kopf.

Leni *zum Wirt*: Schauens, ein Verletzter!

Heizer *nickt Leni leutselig zu*: Jaja, um ein Haar wäre ganz Habedieehre gewesen. Ich denk mir nichts, auf einmal gibts einen infernalischen Krach und Ruck, ich flieg in die Luft, wie ein Aeroplan und dann wirds mir schwarz vor den Augen – und wie ich aufwach, lieg ich auf einer Wiese im Heu und hab mir nichts gebrochen. Bloß der Schädel brummt mir, wie ein Rad.

Wirt Da habens aber schon einen ganz besonderen Schutzengel gehabt.

Heizer Möglich ist alles, wissens, ich steh auf der Lokomotive –

Leni *unterbricht ihn*: Sind Sie der Herr Lokomotivführer?

Heizer Nein, ich bin nicht der Pokorny, der Arme. Ich heiße Kohut.

Gendarm *zu Leni*: Er war nur der Heizer!

Wirt Aha.

Heizer Ein Heizer ist auch sehr wichtig, meine Herrschaften. Ein Heizer ist oft wichtiger wie ein Lokomotivführer.

Leni *zum Heizer*: Ist es wahr, daß es über hundert Tote gegeben hat?

Heizer Ich weiß nur von siebzehn.

Gendarm *zum Heizer*: Achtzehn, hab ich gehört.

Wirt Das genügt auch.

Heizer Es soll ein Signal überfahren worden sein oder vielmehr: besagtes Signal soll gar nicht gegeben worden sein oder vielmehr, es soll erst hinterher gegeben worden sein mit anderen Worten: zu spät! Der Staatsanwalt ist schon seit drei Stunden da, er schaut sichs grad an, das Signal. Zum hundertsten Mal.

Wirt Und wer ist schuld?

Gendarm Das wird sich schon noch herauskristallisieren.

Heizer Ich sag der Stationsvorstand.

Wirt Unser Hudetz?

Heizer Ich weiß nicht, wie er sich schreibt. Ich weiß nur, der selige Pokorny war ein äußerst pflichttreuer Lokomotivführer. – Augen hat der gehabt wie ein Luchs.

Wirt Also das müßt schon mit dem Teufel zugegangen sein, wenn unser Hudetz was verbrochen hätt! Ich sag: ausgeschlossen.

Heizer Die Sonne bringt es an den Tag. Wenn euer Hudetz das Signal nicht rechtzeitig gestellt hat – unter drei Jahren kommt er nicht davon.

Gendarm Und die Stellung verliert er auch.

Heizer Ohne Pensionsanspruch.

Gendarm Das ist nur natürlich.

Heizer Einen Zeugen müßt er halt haben, einen Zeugen, der es beschwört, daß er das Signal rechtzeitig gestellt hat.

Gendarm Dann wäre er gerettet. Aber er war halt allein, mutterseelen allein.

Heizer Dann ist das eine persönliche Tragik.

Anna *leise zum Wirt*: Vater, ich muß dir etwas sagen –

Wirt Was gibts?

Anna Etwas Wichtiges. Der Vorstand war nämlich nicht allein, wie das passiert ist –

Wirt Was?! Was phantasierst denn da herum?

Anna Der Herr Vorstand hätt schon einen Zeugen –

Wirt Was? So red doch schon!

Anna Ich. Ich war am Bahnhof, wie das passiert ist.

Wirt Du?! Am Bahnhof?!

Anna Nicht so laut! Ich hab doch den Ferdinand zur Bahn gebracht und dann hab ich mit dem Herrn Vorstand ein paar Worte geredet, nur ein paar Wörtel –

Wirt Na und – und?

Anna *sehr leise*: Und – *Sie spricht unhörbar mit ihm.*

Leni Befinden sich jetzt noch Tote unter den Trümmern?

Heizer Wo denkens hin, Fräulein?

Leni Und auch keine Verletzten mehr?

Heizer Aber – aber! Wenns da noch Verletzte gab, die täten schön schreien, da tätens Ihnen beide Ohren zuhalten!

Gendarm Das glaub ich! *Er lacht.*

Jetzt erscheint der Staatsanwalt mit seinem Kommissar, übernächtig und fröstelnd; in einiger Entfernung folgt Hudetz, begleitet von einem Polizisten mit aufgepflanztem Bajonett.

Der Staatsanwalt! Zurück, Leut, zurück! *Er drängt den Wirt, Anna, Leni und alle Schaulustigen nach links ab, nur der Heizer bleibt zurück.*

Staatsanwalt *leise zum Kommissar, damit ihn Hudetz nicht hört*: Das Signal geht leider in Ordnung, es steht auf halb. Es läßt sich nur nicht beweisen, ob es bereits vorher oder erst hinterher auf halb gestellt worden ist.

Kommissar Die, die es uns hätten beweisen können, sind leider nicht mehr vernehmbar.

Staatsanwalt Zu dumm! Ein undefinierbares Gefühl sagt mir, daß dieser Hudetz nicht unschuldig ist. Er macht zwar einen gefaßten Eindruck – *Er lächelt.*

Kommissar *grinst*: Für meinen Geschmack ist er auch ein bißchen zu sehr gefaßt.

Staatsanwalt *seufzt*: Nun, versuchen wirs zum zehnten Mal – *Er setzt sich an den kleinen schwarzen Tisch und blättert in den Protokollen.*

Kriminaler *kommt rasch von rechts und grüßt den Staatsanwalt*: Herr Staatsanwalt, ich komme drüben vom Bahnhof und hab die Frau Hudetz verhört. Ich werde das undefinierbare Gefühl nicht los, daß uns die Frau etwas zu sagen hätt –

Staatsanwalt "Undefinierbares Gefühl", das hör ich gern! Man bittet um schärfere Präzision.

Kriminaler Verzeihung, aber ich pflege mich manchmal auf meinen Instinkt zu verlassen und ich freß einen Besen, wenn die Frau Hudetz nicht etwas verschweigt.

Staatsanwalt Woraus schließen Sie auf diesen Schluß?

Kriminaler Es scheint sie etwas zu belasten, sie macht einen ganz verheulten Eindruck.

Staatsanwalt Bringen Sie die Frau her!

Kriminaler Sofort! *Rasch ab nach rechts.*

Staatsanwalt *ruft*: Herr Kohut! Herr Josef Kohut!

Heizer *tritt vor*: Hier!

Staatsanwalt *sehr leise, damit ihn Hudetz nur ja nicht hört*: Sie bleiben also dabei, daß Sie das Signal nicht gesehen haben? Reden Sie leise.

Heizer Ich hab überhaupt nichts gesehen, Herr Staatsanwalt, ich bin ja grad mit dem Rücken zur Fahrtrichtung gestanden und hab Kohlen geschaufelt, da kam der Ruck –

Staatsanwalt *unterbricht ihn ungeduldig*: Von dem Ruck haben Sie uns schon erzählt.

Heizer Und außer dem Ruck habe ich nichts zu erzählen, ich kanns nur immer wieder beschwören, daß der selige Pokorny noch nie ein Signal überfahren hat, nicht beim dichtesten Nebel!

Staatsanwalt Stimmt! Seine Qualifikation ist erstklassig.

Heizer Das war überhaupt ein erstklassiger, seelenguter Mensch, Herr Staatsanwalt, aber jetzt hinterläßt er drei unversorgte Kinder – *Er blickt empor*. Armer Pokorny! Jetzt stehst vor deinem obersten Richter.

Staatsanwalt Zur Sache!

Heizer Alsdann, wie jener Ruck sich abgespielt hat, da hat der Pokorny grad von einer Gehaltsaufbesserung gesprochen –

Staatsanwalt *unterbricht ihn*: Das gehört nicht hierher. Ich danke, Herr Kohut.

Heizer *verbeugt sich*: Bitte – bitte! *Ab.*

Staatsanwalt *ruft*: Herr Thomas Hudetz!

Hudetz tritt vor.

Sie bleiben also dabei, daß Sie das Signal rechtzeitig auf halb gestellt haben?

Hudetz *gefaßt, jedoch innerlich unsicher*: Herr Staatsanwalt, ich kann mir gar nicht vorstellen, ich war doch immer ein pflichttreuer Beamter –

Staatsanwalt *unterbricht ihn*: Das habens uns jetzt schon hundertmal erzählt.

Hudetz Es ist auch alles.

Stille.

Staatsanwalt *fixiert ihn; leise, jedoch eindringlich*: Ich werd das undefinierbare Gefühl nicht los –

Hudetz *unterbricht ihn*: Ich hab nichts zu verheimlichen.

Stille.

Staatsanwalt *droht ihm mit dem Zeigefinger*: Herr Hudetz, ein Zusammenstoß ist kein Witz –

Hudetz *zuckt zusammen und horcht auf*: Herr Staatsanwalt –

Staatsanwalt *schreit ihn plötzlich an*: Bilden Sie sichs nur nicht ein, daß die Wahrheit nicht ans Tageslicht kommt. Auch wenn Sie das seltene Glück haben, daß der Lokomotivführer und der Zugführer tot sind, so ist doch immer noch einer da, der wie durch ein Wunder am Leben blieb. Der Heizer Josef Kohut! Und dieser Heizer hat uns bereits äußerst instruktive Tatsachen mitgeteilt, Tatsachen, die Ihnen garantiert keine reine Freude bereiten werden.

Hudetz *unsicher*: Ich kann nur sagen, ich hab noch nie ein Signal versäumt – *Er lächelt.*

Stille.

Staatsanwalt *plötzlich väterlich*: Gehen Sie in sich, Thomas Hudetz. Denken Sie an die achtzehn armen Toten, an die große Schar beklagenswerter Verletzter, die jetzt in den Krankenhäusern leiden. Wollen Sie das alles ungesühnt mit sich herumtragen, ein ganzes Leben lang? Sie sind doch ein anständiger Mensch, Herr Hudetz. Erleichterns doch gefälligst Ihr Gewissen –

Stille.

Hudetz Ich bin nicht schuld.

Staatsanwalt *ironisch*: Sondern?

Hudetz Ich nicht.

Staatsanwalt *wie zuvor*: Vielleicht der große Unbekannte?

Hudetz Vielleicht –

Jetzt kommen der Gendarm, der Wirt und Anna von links.

Kommissar *zum Gendarm*: Was gibts?

Staatsanwalt lauscht.

Gendarm Herr Kommissar, da hat sich der Gastwirt vom Wilden Mann gemeldet, der behauptet, seine Tochter hätt etwas Wichtiges auszusagen.

Staatsanwalt *fällt ihm ins Wort*: Na und? Warum meldet sie das erst jetzt?

Wirt Herr Staatsanwalt, meine Tochter ist noch ein halbes Kind und sie hat sich halt nicht gleich getraut, aber sie hat sich zuvor mir anvertraut und ich hab gesagt, das mußt du sofort mitteilen, denn das ist sozusagen lebenswichtig für den braven Herrn Hudetz –

Staatsanwalt Abwarten!

Wirt Ich hab ihr gesagt, es dreht sich um einen Menschen, du hättest ja keine ruhige Minute mehr und ich auch nicht, wenn man unserem Herrn Vorstand was antun würde. Herr Staatsanwalt, sie hat es genau gesehen, daß er das Signal rechtzeitig auf halb gestellt hat!

Staatsanwalt Rechtzeitig? *Er fixiert Anna.* Treten Sie näher, Fräulein! Keine Angst, wir beißen nicht –

Anna tritt näher.

Ich mache Sie nur darauf aufmerksam, daß Sie alles, was Sie hier aussagen, vor Gericht wiederholen werden müssen, und zwar unter Eid. Sie wissen, was das bedeutet?

Anna Ja.

Hudetz starrt Anna entgeistert an.

Staatsanwalt *lehnt sich zurück*: Nun erzählen Sie uns, was Sie wissen.

Anna Er hat das Signal rechtzeitig –

Staatsanwalt *unterbricht sie*: Der Reihe nach, der Reihe nach. Immer schön der Reihe nach! Los!

Stille.

Anna *als würde sie eine Schulaufgabe aufsagen*: Ich habe gestern meinen Bräutigam zum letzten Zug gebracht und der hat eine starke Verspätung gehabt und dann, wie der Zug weg war, dann hab ich dem Zug noch nachgewinkt und dann hab ich mit dem Herrn Vorstand ein paar Worte gesprochen, ich hab ihn gefragt, warum er nicht mehr zu uns kommt, er geht nämlich nirgends mehr hin –

Staatsanwalt Was kümmert Sie das?

Anna Ich bin doch eine Gastwirtstochter und kümmere mich um das Geschäft. *Sie lächelt.*

Wirt *zum Staatsanwalt*: Entschuldigen, daß ich eingreif, aber der Vorstand geht nirgends mehr hin, weil ihn seine Frau nicht laßt.

Staatsanwalt *horcht auf*: Seine Frau?

Wirt Herr Staatsanwalt, wissen Sie, was ein böses Weib ist?

Staatsanwalt *seufzt*: Ja, das ist mir bekannt.

Hudetz Meine Frau ist nicht bös.

Wirt Hör auf, Hudetz! *Zum Staatsanwalt*. Immer nimmt er sie in Schutz, da wird man schon direkt rabiat. *Zu Hudetz*. Sie sekkiert dich Tag und Nacht!

Hudetz Falsch!

Wirt Hör auf! Alle wissens!

Hudetz Gar nichts wißt ihr, gar nichts! Es hat alles seine Gründe und ihr könnt nicht urteilen. Ich benehm mich ja auch nicht richtig zu ihr –

Wirt Herr Staatsanwalt, er traut sich schon kaum mehr über die Gasse, immer meint er, er ist an allem schuld, weil sie es ihm einredet, Tag und Nacht, Jahr für Jahr. Und warum? Nur weil die Beziehungen erkaltet sind, was kein Wunder wär bei dem Altersunterschied.

Hudetz *schreit den Wirt an*: Das spielt keine Rolle.

Wirt *zu Hudetz*: Du, schrei doch nicht mit mir.

Staatsanwalt Ruhe! Herr Hudetz, es spricht ja sehr für Ihre Wahrheitsliebe, daß Sie für Ihre Gemahlin so tapfer eintreten und die Anklagebehörde nimmt dies auch mit Befriedigung zur Kenntnis, doch dürfte es wohl wenig Sinn haben, wenn man sich selber etwas vormacht –

Hudetz *fällt ihm ins Wort*: Ich mach mir gar nichts vor.

Staatsanwalt Lassen wir das jetzt mit der Frau – Sie werden ja sowieso psychatriert –

Wirt Narrisch hat sie ihn schon gemacht, narrisch!

Staatsanwalt Ruhe! *Zu Anna.* Fahren Sie fort, Fräulein!

Anna Ich bin gleich am End. Ich hab es gehört, wie das Läutwerk geläutet hat, dann hat der Herr Vorstand das Signal gericht, und dann erst ist der Eilzug vorbei gefahren –

Staatsanwalt Dann erst?

Anna Ja –

Jetzt erscheint rechts Frau Hudetz mit dem Kriminaler. Sie halten und hören zu, von niemand beachtet.

Staatsanwalt *eindringlich*: Also: zuerst das Läutwerk?

Anna Dann das Signal.

Staatsanwalt Und dann erst der Zug?

Anna Ja. Und dann – *Sie stockt.*

Staatsanwalt Na?

Anna Und dann hats in der Ferne ein Donnern gegeben, ein Krachen und Donnern und ein Geschrei – so ein furchtbares Geschrei, oh, ich höre es noch immer – *Sie hält sich die Ohren zu.*

Staatsanwalt Herr Hudetz. Warum haben Sie uns eigentlich diese Ihre Entlastungszeugin verschwiegen?'

Hudetz weiß keine Antwort.

Frau Hudetz betrachtet Hudetz schadenfroh.

Staatsanwalt zu Hudetz. Na? *Hudetz zuckt die Schultern.* Komisch.

Anna Herr Staatsanwalt, er wußt es ja gar nicht, daß ich alles gesehen hab –

Frau Hudetz *scharf*: Alles gesehen?!

Alle zucken zusammen und starren Frau Hudetz an.

Kriminaler *zum Staatsanwalt*: Frau Hudetz.

Staatsanwalt Ach!

Frau Hudetz fixiert gehässig Anna.

Kriminaler *leise zum Staatsanwalt*: Es ist nichts aus ihr heraus zu bekommen. Sie behauptet, nichts gesehen zu haben. Sie hätt bereits geschlafen – *Er spricht unhörbar weiter.*

Frau Hudetz *zu Anna*: Ärgern hast du mich wollen, ärgern.

Wirt *zu Frau Hudetz*: Was wollens denn von meiner Tochter?

Frau Hudetz *zu Hudetz, sie deutet auf Anna*: Ist das deine Entlastungszeugin? Man gratuliert, man gratuliert. *Sie grinst.*

Wirt Gebens Ruh, Frau Hudetz.

Frau Hudetz Ich hab nicht zu Ihnen gesprochen.

Wirt Also nur nicht so von oben herab.

Frau Hudetz Sie haben mir keine Lehren zu geben. Unterrichtens lieber Ihr Fräulein Tochter, daß sie nachts nicht mit fremden Männern streunt!

Wirt Was hör ich? Meine Tochter soll streunen? Frau Hudetz, spielen Sie sich nicht mit mir!

Staatsanwalt Frau Josefine Hudetz, treten Sie näher!

Frau Hudetz tritt näher.

Sie haben uns also nichts zu sagen?

Frau Hudetz *blickt spöttisch auf Hudetz und Anna, nach einer Pause*: Nein!

Staatsanwalt Nichts gehört, nichts gesehen, ich danke. Wir benötigen Sie nicht mehr. Gehen Sie – *Er blättert im Protokoll.*

Frau Hudetz *brüllt plötzlich los*: Ich geh nicht! Ich geh nicht! Ich laß mir das von euch nicht mehr bieten. Ihr meint, ihr könnt mit mir machen, was ihr wollt, mit mir und meinem armen Bruder. Nein, ich werd nicht mehr kuschen, ich red, was ich mag, ich red, was ich mag.

Wirt Halts Maul!

Frau Hudetz Ich laß mir von Ihnen nicht das Maul verbieten. Verbietens es lieber Ihrer sauberen Tochter, damit sie keinen Meineid schwört. Jawohl, jetzt sag ich aus, ich! Herr Staatsanwalt, ich stand gestern abend am Fenster im ersten Stock und hab alles gesehen und alles gehört. Alles, alles, alles! Ich habe deutlich gesehen, wie dieses Stück meinem Mann einen Kuß gegeben hat – ich habe gesehen!

Wirt Einen Kuß? Mich trifft der Schlag!

Anna *bricht plötzlich los*: Lüge, Lüge, Lüge!

Frau Hudetz Ich sage die Wahrheit und werde alles beschwören! Sie hat ihm einen Kuß gegeben, nur um mich zu ärgern, aber es gibt einen Gott der Rache und drum hat er das Signal versäumt – ich kanns beschwören, beschwören, beschwören –

Anna *schreit sie außer sich an*: Schwörens nur Ihren Meineid, schwörens ihn nur! Sie sind ja ein ganz schlechter Mensch. Nur weil Sie zu alt für Ihren Mann sind, reißens ihn da hinein, Sie könnten ihn ja direkt umbringen, nur weil er sie nicht mehr anrührt. Sie sind ja berüchtigt, Sie, und ich hab ihm keinen Kuß gegeben, so wahr mir Gott helfe. Ich bin doch glücklich verlobt, aber mich wollens auch noch unglücklich machen – *Sie weint plötzlich heftig und birgt den Kopf an ihres Vaters Brust. Wirt streichelt sie.*

Staatsanwalt *zu Frau Hudetz*: Sie sind sich wohl im klaren darüber, Frau Hudetz, daß Sie durch Ihre Aussage Ihren Gatten schwerstens belasten.

Wirt *empört zu Frau Hudetz*: Schämen Sie sich, wo er Sie grad in Schutz genommen hat.

Anna *schluchzend zu Frau Hudetz*: Immer nimmt er sie in Schutz! Immer!

Frau Hudetz In Schutz? *Sie grinst höhnisch*. Thomas, du hast mich beschützt?

Hudetz Ja.

Wirt *zu Hudetz*: Verdient sie es?

Hudetz Nein.

Wirt Na also.

Hudetz Herr Staatsanwalt, alles, was meine Frau gegen mich vorbringt, ist Lüge. Weder hat mich das Fräulein Anna geküßt noch hab ich das Signal versäumt. Meine Frau ist nicht ganz normal.

Frau Hudetz Ich nicht normal? Das tät dir so passen!

Hudetz *zum Staatsanwalt*: Sie hört oft Stimmen, wenn sie allein ist – sie hat es mir selber erzählt. Und auch ihrem Bruder.

Frau Hudetz Mich kriegst du nicht los. Mich nicht.

Hudetz Jetzt schon – wenn die eigene Frau den eigenen Mann derart belastet –

Frau Hudetz *unterbricht ihn:* “Mann,“ ich höre immer „Mann.“ *Sie lacht hysterisch.* Du willst einer sein? Du bist doch kein Mann!

Hudetz *schreit sie an:* Schluß damit! Schluß!

Staatsanwalt *erhebt sich:* Schluß mit dem Krakeel! Es steht hier nicht zur Debatte, ob Sie ein Mann sind oder nicht, es dreht sich hier um ein Eisenbahnunglück, bitt ich mir aus. Und es steht Aussage gegen Aussage. So leid es mir tut, Herr Hudetz, muß ich Sie auf Grund der belastenden Aussage Ihrer Gattin in Haft nehmen.

Wirt In Haft?

Staatsanwalt *packt die Protokolle zusammen:* Die Sonne dürfte es dann wohl an den Tag bringen bei der Verhandlung – wenn mal ein kleiner Meineid auf dem Spiele steht – *Er wirft einen Blick auf Frau Hudetz.*

Frau Hudetz *unheimlich ruhig:* Sie können mich ruhig anschauen, Herr Staatsanwalt, ich hab die Sonne sehr gern.

Drittes Bild

Vier Monate sind vergangen. Im Wirtshaus zum Wilden Mann, und zwar in der Gaststube. Im Hintergrund die Schenke und zwei Fenster, links die Eingangstüre, rechts eine Tür zum Saal. An der Wand ein Bild des wilden Mannes mit Bart und Fell und Keule. Die Kellnerin Leni steht auf einer Leiter und bringt oberhalb der Saaltüre ein Schild mit der Inschrift „Willkommen" an. Überhaupt ist der ganze Raum mit Lampions und Tannengrün herausgeputzt. Zur Zeit ist nur ein Gast vorhanden, ein Lastkraftwagenführer, der hastig sein Menü vertilgt. Es ist Herbst geworden, aber draußen scheint die Sonne.

Gast *plötzlich:* Wo bleibt mein Bier?

Leni *rührt sich nicht von der Leiter:* Sofort! *Stille.*

Gast *dumpf und drohend:* Wollens mir jetzt endlich das Bier bringen oder nicht?

Leni *wie zuvor:* Moment!

Gast *schlägt mit der Faust auf den Tisch und brüllt:* Jetzt wirds mir aber zu dumm! Jetzt bin ich schon bei der Mehlspeise und habe noch immer kein Bier. Ich verdurst ja schon, meiner Seel! Was schmückens denn da herum? Wo steckt denn der Wirt, Malefizelement?!

Wirt *ist bereits von links eingetreten:* Da bin ich. Entschuldigens vielmals, nichts für ungut – *Er herrscht Leni an.* Auf der Stell bringst dem Herrn sein Bier, was fällt dir denn ein? Saustall sowas!

Leni *kleinlaut:* Aber das Schild –

Wirt *fällt ihr ins Wort:* Ein Gast kommt vor einem Schild.

Gast Bitte ich mir aus.

Leni steigt gekränkt von der Leiter herab und schenkt an der Schenke das Bier ein.

Wirt *zum Gast:* Entschuldigens tausendmal, aber heut gehts bei uns etwas drunter und drüber, wir feiern nämlich heut ein Fest –

Gast *deutet auf das Schild:* Wen erwartens denn? Den Kaiser von China?

Wirt *lächelt:* Nein, nur einen braven Mitbürger von uns. Erinnerns Ihnen an das große Eisenbahnunglück vor vier Monaten?

Gast Keine Ahnung, ich bin Chauffeur.

Wirt Aber damals ist unser Stationsvorstand in einen falschen Verdacht gekommen und man tat ihm bitter unrecht – vier Monate ist er in Untersuchungshaft gewesen, aber gestern nachmittag habens ihn glänzend rehabilitiert – freigesprochen ist er worden.

Gast Soso. Wundert mich, daß einer freigesprochen wird.

Wirt Jaja, es ist erhebend zu sehen, wie die Wahrheit durchdringt und die Gerechtigkeit siegt.

Gast Wo bleibt mein Bier?

Leni *bringt es ihm:* Ja.

Gast Ich zahl auch gleich – *Er trinkt das Bier auf einen Zug.*

Leni Ein Menü, ein Bier, vier Brot – zweizwanzig.

Gast Preiswert seid ihr ja grad nicht – *Er wirft das Geld auf den Tisch.*

Leni Danke.

Wirt Habe die Ehre! Beehrens uns wieder!

Gast Werd mich hüten. *Ab nach links.*

Wirt *sieht ihm nach, melancholisch:* Traurige Leut gibts auf der Welt – *Er wendet sich Leni zu, die wieder auf der Leiter steht, und versucht, ihr nicht ganz unabsichtlich unter die Röcke zu schauen.* Leut, die gar nichts mehr rührt. Radikal nichts – es rührt sie nicht, ob einer verurteilt wird oder freigesprochen, schuldig oder unschuldig – sie denken nur an ihr Bier.

Leni Es denkt halt jeder an etwas anderes.

Wirt Stimmt.

Leni *hat das Schild befestigt:* So. Das hält ewig. *Sie steigt von der Leiter herab.* Was glaubens, was wird jetzt die Frau Hudetz machen?

Wirt Die? Hier wird sie sich ja nimmer blicken lassen dürfen – ich glaub, die tätens direkt lynchen wie die Neger in Amerika.

Leni Tja, man darf Gott nicht ungestraft herausfordern.

Wirt Gesehen hat sies, wie die Anna ihn geküßt hat, gesehen! Und sie möcht auch gesehen haben, daß er das Signal verpaßt hat – und derweil! Der Stempel der Lüge stand ihr auf der Stirn, nicht einmal der Staatsanwalt hat ihr ein Sterbenswörtel geglaubt, obwohl sie alles beschworen hat, die soll nur froh sein, wenns ihr kein

Meineidsverfahren hinaufhauen. Ich sag: mit der Frau Hudetz ists vorbei. Die gibts nicht mehr, das war einmal. Jetzt wirds dann noch geschieden von Tisch und Bett – Schluß, aus, Amen! *Stille.*

Leni Ob er wohl noch mal heiraten wird, der Herr Vorstand?

Wirt Vielleicht hat er noch nicht genug. Tät er dir gefallen, der Hudetz?

Leni *lächelt:* Er hat schon etwas Bestimmtes.

Wirt *horcht auf:* Woher weißt du denn das?

Leni Nur so.

Stille.

Wirt *macht einen Witz:* Möglich! Vielleicht wird er dich an den Traualtar führen. *Er grinst.*

Leni *sieht ihn traurig an:* Ich bin doch ein armes Mädel, Herr Wirt – *Stille.*

Wirt *bereut seinen Witz, nähert sich ihr langsam, umfaßt sanft ihre Taille und singt leise, um sie aufzuheitern, doch Leni bleibt unbeweglich ernst:*

Weiberl, Weiberl, sei doch nicht so hart,

Schau, die kleinen Mädchen sind so zart,

Kennst du nicht den Spruch, den alten

Laßt die Herzen nicht erkalten.

Weiberl, Weiberl, sei doch nicht so hart –

Ferdinand kommt rasch von links. Wirt läßt Leni los, freudig überrascht. Hoppla, der Herr Schwiegersohn in spe! Servus, Ferdinand!

Ferdinand Servus, Vater! Wunder dich nicht, daß ich da bin. Ich bin im letzten Moment mit meinem Motorrad hinten herüber.

Wirt Hast so viel Arbeit?

Ferdinand Und grad heut! Heut wars schon besonders delikat, daß ich mich außerordentlich freigemacht hab wegen dem Viehmarkt –

Wirt *überrascht:* Ihr habt heut Viehmarkt?

Ferdinand Natürlich.

Wirt Seit wann denn heut am Mittwoch?

Ferdinand *wegwerfend:* Eine neue Verordnung – *Begeistert.* Ochsen hats gegeben, Ochsen, wie die Elefanten –

aber ich hab mich für keinen interessiert. Einen solchen Ochsen gibts noch nicht, der mir wichtiger wär wie die Anna. Wo steckt sie denn?

Leni Sie zieht sich nur um.

Wirt *zu Leni:* Ruf sie! Schnell! *Leni rasch ab nach rechts.* Ich muß dir was sagen, Ferdinand, ich freu mich, daß du meine Anna nimmst, du wirst mein Haus schon richtig führen. Sechsundachtzig Jahr im Besitz der Familie – das möcht man behalten, auch wenn man nimmer lebt. *Anna kommt von rechts in einem weißen Kleid.*

Ferdinand Anna! *Er umarmt und küßt sie.*

Anna Das freut mich –

Ferdinand Bist ja eine berühmte Persönlichkeit geworden, seit wir uns vorige Woche gesehen haben, Kronzeugin in einem Sensationsprozeß. Da schau her, wie man dich tituliert – *Er zieht eine Zeitung aus seiner Tasche und zeigt ihr eine Artikelüberschrift.* "Die bildhübsche Wirtstochter" – mit ganz dicken Buchstaben.

Wirt Stolz kann sie sein.

Ferdinand Und ich auch.

Anna *lächelt sonderbar:* Der Ruhm verblaßt rasch.

Wirt Wie gewählt sie spricht. Wie fein sie sich ausdrückt, meine Tochter.

Ferdinand Meiner Seel, ich hab schon direkt das Gefühl, als wär meine Braut eine Filmdiva! Geh, laß dich anschaun, Kronzeugin, ob du dich verändert hast – *Er betrachtet sie von oben bis unten.*

Anna *lächelt wieder sonderbar:* Kaum. *In der Ferne ertönt Marschmusik, die sich nähert. Alle horchen auf.*

Ferdinand Musik?

Wirt Sie kommen, sie kommen – *Er sieht aufgeregt auf seine Uhr.* Stimmt! Gleich wird er da sein, der Hudetz – unser Hudetz! Sie holen ihn von der Bahn ab, der ganze Ort! *Anna wird blaß und faßt sich ans Herz.*

Ferdinand Was hast denn, Anna? Wieder das Herzerl?

Anna *sehr leise:* Ja.

Wirt *zu Ferdinand:* Dieser ganze Prozeß war halt doch eine zu gewaltige Aufregerei.

Ferdinand *streichelt Annas Hand, zärtlich:* Aber jetzt ists vorbei, was, Anna?

Anna *lächelt verloren:* Ja, jetzt ists vorbei –

Wirt *reicht Anna ein Glas:* Trink einen Wermut, das ist und bleibt die beste Medizin!

Ferdinand Mir auch – *Er nimmt sich auch ein Glas, zu Anna.* Sollst leben, Anna!

Anna *tonlos:* Sollst leben Ferdinand!

Die beiden leeren ihre Gläser und nun ertönen Marschmusik und Hochrufe ganz in der Nähe.

Leni *stürzt aufgeregt von rechts herein, auch sie hat sich umgezogen:* Er kommt, er kommt, er kommt! *Sie rast ans Fenster, winkt hinaus und ruft.* Hoch! *Auch der Wirt und Ferdinand tun desgleichen. Die Sonne verschwindet, es dämmert rasch.*

Anna *starrt vor sich hin, plötzlich schenkt sie sich rasch noch ein Glas Wermut ein, tonlos:* Hoch – *Sie leert hastig das Glas.*

Nun tritt der Zug durch die Türe links ein, der halbe Ort ist dabei, natürlich auch Frau Leimgruber, der Waldarbeiter und der Gendarm in Gala mit weißen Handschuhen. Hudetz taucht auf, lächelt wächsern und nickt allseits Dank, er ist durch die Haft etwas gelb geworden.

Alle Hoch! Hoch! Hoch!

Wirt *hält eine Ansprache:* Thomas Hudetz! Lieber guter Freund! Verehrter Herr Stationsvorsteher! Wir alle, die du hier zu deinem Empfang versammelt siehst, waren von deiner absoluten Unschuld immer schon eisern überzeugt – und es gereicht mir persönlich zu einer ganz besonderen Ehre und Freude, daß das Schicksal gerade mein Kind ausersehen hat, um deine Unschuld zu beweisen.

Rufe Hoch Anna! Hoch!

Wirt Es gibt noch einen Gott im Himmel, der über uns wacht, damit die Wahrheit durchdringt und die Gerechtigkeit siegt! Sei gegrüßt du Unschuldiger, der du unschuldig eingekerkert soviel Leid hast durchmachen müssen! Thomas Hudetz, unser allseits geliebter Stationsvorstand – der pflichtgetreue Beamte, er lebe hoch, hoch, hoch! *Er geht auf Hudetz zu und schüttelt ihm die Hände.*

Alle Hoch! Hoch! Hoch!

Musik, Tusch.

Ein Kind *tritt mit einem Blumenstrauß vor Hudetz, macht einen Knicks und sagt auf:*

Hoch klingt das Lied vom braven Mann
Wie Orgelton und Glockenklang
Wer solcher Tat sich rühmen kann,
Den lohnt kein Geld, den preist Gesang.
Gott Lob, daß ich singen und preisen kann,
Zu singen und preisen den braven Mann!

Es macht abermals einen Knicks und überreicht Hudetz den Blumenstrauß. Alle applaudieren.

Hudetz *tätschelt des Kindes Wangen und entdeckt plötzlich Anna, er stockt und fixiert sie, geht langsam auf sie zu und reicht ihr die Hand:* Grüß Gott, Fräulein Anna!

Anna Grüß Gott, Herr Vorstand! –

Hudetz Wie gehts?

Anna Danke, gut – *Sie lächelt. Alle glotzen Anna und Hudetz an und warten neugierig auf weitere Worte.*

Hudetz *wird etwas verlegen, wendet sich dann mit plötzlichem Entschluß ruckartig an die Anwesenden, deutet auf Anna und* *ruft:* Mein rettender Engel! – Er lebe hoch! Hoch! Hoch! *Er überreicht ihr seinen Blumenstrauß.*

Alle *außer sich vor Begeisterung:* Hoch, hoch, hoch! *Im Saal wird nun das Licht abgedreht und eine Schrammelmusik spielt einen Walzer.*

Wirt *steigt auf einen Stuhl:* Meine Herrschaften! Darf ich euch jetzt auffordern, euch in den Saal zu bemühen – ich denk, wir haben alle schon einen Bärenhunger und Durst, und außerdem wirds hier finster! *Gelächter und Bravorufe.*

Ferdinand *reicht Anna seinen Arm:* Darf man bitten – *Alle außer Leni in festlicher Laune rechts ab. Leni schenkt an der Schenke viele Krüge Bier ein und summt die Walzermelodie, die aus dem Saal heraustönt, mit. Alfons kommt von links. Leni erblickt ihn, erschrickt und starrt ihn entsetzt an.*

Alfons Guten Abend, Leni! Was schaust mich denn so an?

Leni Sie traun sich her? Jetzt?

Alfons *lächelt:* Warum nicht?

Leni Na, wo doch Ihre Schwester, die Frau Hudetz –

Alfons *unterbricht sie:* Ich habe keine Schwester mehr.

Leni Das glaubt Ihnen keiner! Man wird Sie an die Luft setzen – passens auf!

Alfons setzt sich.

Leni *ängstlich.* So gehens doch, sonst werdens noch verprügelt, die trinken da drinnen und schlagen Sie blutig.

Alfons *lächelt:* Nur zu –

Leni *verärgert:* Wem nicht zu raten ist, dem ist auch nicht zu helfen! *Rasch ab nach rechts mit vielen Krügen Bier. Im Saal singt nun eine Sängerin „Der Lenz ist da" von Hildach. Alfons lauscht dem Gesang, erhebt sich, geht langsam auf den Saal zu, hält jedoch wieder und zögert. Die Sängerin hat nun ausgesungen, starker Applaus, Hoch- und Bravo-Rufe im Saal. Alfons schrickt auf das begeisterte Geheul hin zusammen, setzt rasch seinen Hut auf und ab nach links.*

Stille.

Anna *kommt schnell und heimlich mit Hudetz von rechts, sie reden schnell und unterdrückt. Sie sieht sich ängstlich forschend um:* Hier sieht uns niemand.

Hudetz Was wollens denn eigentlich von mir?

Anna Ich muß Ihnen etwas sagen.

Hudetz Und drinnen im Saal könnens das nicht?

Anna Nein, dort sind nämlich alle Augen auf uns gerichtet – Herr Vorstand, ich muß Sie morgen sprechen, unter vier Augen, ich hätt Ihnen nämlich was zu erzählen –

Hudetz Was wollens mir denn erzählen?

Anna *lächelt:* Oh so viel!

Stille.

Hudetz Es ist besser für uns beide, wenn wir uns aus dem Wege gehen.

Anna Ich geh schon, ich geh schon – ich geh ja noch zu Grund – *Sie lächelt.*

Hudetz Still! *Er sieht sich forschend um.*

Stille.

Jetzt müssen wir wieder hinein. Was wird sich denn Ihr Bräutigam denken, wenn er uns hier sehen tät? Er tät doch denken, wir hätten was miteinander, und das hätt mir grad noch gefehlt.

Anna Herr Vorstand, haben Sie ein Erbarmen mit mir – hörens mich morgen an, bitte –

Hudetz Sie tun ja direkt, als hinge Ihr Leben dran, daß wir uns treffen.

Anna Vielleicht – *Sie lächelt.*

Stille.

Hudetz Also schön, dann morgen. Wo?

Anna Beim Viadukt.

Hudetz Oben oder unten?

Anna Unten.

Hudetz Und wann?

Anna Abends, um neun Uhr.

Hudetz Um neun? Mitten in der Nacht?

Anna *lächelt:* Es soll uns doch niemand sehen. Wenigstens kein Mensch.

Hudetz *zuckt die Schulter:* Meinetwegen!

Anna *hält ihm die Hand hin:* Abgemacht.

Hudetz *schlägt ein:* Abgemacht.

Anna *lächelt:* Fein! *Rasch ab nach rechts. Im Saal gibts nun wieder Walzermusik. Alfons tritt links wieder ein, erblickt Hudetz und faßt sich ans Herz.*

Hudetz *fixiert ihn, leise:* Bist du das, Alfons?

Alfons Ja.

Pause.

Hudetz *grinst:* Guten Abend, Schwager –

Alfons Guten Abend, Thomas, du mußt das „Schwager" nicht so spöttisch betonen – ein Weib, das sich derart benimmt, wie meine Schwester, das existiert für mich nicht mehr.

Hudetz Lassen wir das. Es ist alles vorbei.

Alfons Nicht für mich.

Hudetz horcht auf. Pause.

Zuvor war ich schon einmal hier, aber da wurde mir prophezeit, man würde mich blutig schlagen – *Er grinst und wird plötzlich wieder ernst.* Jetzt schreckt mich nichts mehr. Ich hab alles abgewogen. Es bleibt mir nur ein Weg: in aller Öffentlichkeit zu dokumentieren, daß ich von meiner Schwester abgerückt bin. Es ist auch zwischen mir und ihr aus. Ich kann mich ja überhaupt nicht mehr halten. Ich grüß und keiner dankt. Boykottiert bin ich zwar schon immer worden, aber jetzt will man mich ganz zugrunde richten – Thomas, wir zwei hatten doch nie Differenzen. Hilf mir, bitte –

Jetzt kommen aus dem Saal der Wirt, Frau Leimgruber, Ferdinand, Anna und der Waldarbeiter.

Wirt *dreht das Licht an und erblickt Hudetz:* Da bist du ja, wir suchen dich schon – *Er stockt, denn nun erblickt er auch Alfons.* – Hoppla! Was seh ich? Du traust dich her, du?! Also das ist ja eine bodenlose Impertinenz! Raus!

Frau Leimgruber Raus! Raus damit!

Alfons Nein! Ich hab euch etwas zu sagen –

Wirt *unterbricht ihn, grob:* Uns hast du nichts zu sagen! Raus, auf der Stell, sonst garantier ich für nichts.

Waldarbeiter *nähert sich Alfons:* Quacksalber, meineidiger – *Er will handgreiflich werden.*

Hudetz Halt! Er hat mir grad erklärt, daß er keine Schwester mehr hat –

Ferdinand Er lügt.

Hudetz *scharf:* Er lügt nicht!

Wirt *perplex zu Hudetz:* Daß grad du das sagst –

Hudetz Ja. Tuts mir den Gefallen und laßt ihm seinen Frieden. *Ab nach rechts.*

Viertes Bild

Schluchtartige Gegend, die Pfeiler des Viadukts ragen in den Himmel. Es ist eine einsame Nacht. Der Mond scheint, es wurde Herbst, und alles liegt still wie die ewige Ruh. Nur der Gendarm befindet sich auf seinem Dienstgang.

Gendarm *hält plötzlich und lauscht in die Finsternis:* Ist dort jemand? Hallo! Wer da?

Hudetz *tritt vor:* Guten Abend, Herr Inspektor –

Gendarm *beruhigt:* Ach, der Herr Vorstand! Was treiben Sie hier beim Viadukt?

Hudetz Ich geh nur ein bissel spazieren!

Gendarm Mitten in der Nacht?

Hudetz Ich hab nichts gegen die Nacht – *Er lächelt.*

Gendarm Passens nur auf, heut treibt sich allerhand lichtscheues Gesindel in der Gegend herum, grad hab ich die offizielle Nachricht bekommen, mir scheint, Zigeuner.

Hudetz *fällt ihm ins Wort:* Ich fürcht mich nicht.

Gendarm *lächelt:* Jaja, ein reines Gewissen ist ein sanftes Ruhekissen – einen wie langen Erholungsurlaub habens denn bekommen, Herr Vorstand?

Hudetz Acht Tage.

Gendarm Nur? Da dürfens aber nicht viel solche Feste mitmachen wie gestern abend – lang hats gedauert, meiner Seel! Bis sechse in der Früh!

Hudetz Lustig wars.

Gendarm Und Räusch hats gegeben, schon direkt lebensgefährliche Räusch! Wie lang habens denn heut geschlafen?

Hudetz Überhaupt nicht. Ich schlaf neuerdings nicht gut.

Gendarm Kenn ich, kenn ich! Ich hab auch darunter zu leiden. Da liegt man in der Finsternis und es fällt einem alles ein – alles, was man hätt besser machen können.

Hudetz Das auch.

Gendarm Also auf Wiedersehen, Herr Vorstand. Und nochmals recht gute Erholung. *Er salutiert und ab.*

Hudetz Auf Wiedersehen, Herr Inspektor. *Er schaut ihm nach und zündet sich dann eine Zigarette an, oben auf dem Viadukt läutet* *jetzt ein Signal, ähnlich dem Läutwerk im Bahnhof. Er horcht auf und blickt empor. Anna kommt, erblickt ihn und schrickt etwas zusammen.* Sind Sie jetzt erschrocken?

Anna *lächelt:* Sie standen so plötzlich vor mir – *Im fernen Ort schlägt die Kirchturmuhr.*

Hudetz *zählt die Schläge leise mit:* – neun – ich bin schon seit dreiviertel da – *Er grinst.* Damen läßt man nicht warten.

Stille.

Anna *sieht sich forschend um:* Ich bin heimlich fort, denn es soll niemand wissen, daß wir uns hier treffen.

Hudetz Ganz meine Meinung.

Anna Die Leut würden nur reden und die hätten doch gar keinen Grund, nicht?

Hudetz Ich wüßte keinen.

Jetzt fährt hoch droben ein Zug über den Viadukt.

Anna *blickt empor:* Ein Personenzug –

Hudetz *blickt auch empor:* Nein, das ist der Expreß.

Anna Ich dachte, weil er so langsam fährt –

Hudetz Das täuscht.

Anna Trotzdem.

Stille.

Hudetz Was haben Sie mir also zu erzählen?

Anna Viel. Sehr viel.

Hudetz Also los. Erstens, zweitens, drittens.

Stille.

Anna Herr Vorstand, habens denn keine innere Stimme mehr? *Hudetz starrt sie an.* Was würden Sie denn sagen, wenn ich jetzt hinausschreien würde, daß ich gelogen hab, daß ich falsch geschworen hab, daß Sie das Signal –

Hudetz *herrscht sie an:* Ruhe! *Er sieht sich um.*

Stille.

Anna *leise, fast lauernd:* Was würdens denn tun, Herr Vorstand?

Hudetz Dann, hm, das weiß ich heut noch nicht.

Anna Das ist nicht wahr.

Hudetz Sie müssens ja wissen.

Anna Oh ich hör alles.

Stille.

Hudetz Umbringen würd ich Sie nicht.

Anna *lächelt:* Schad.

Hudetz horcht auf.

Stille.

Anna sehr einfach. Ich möcht nicht mehr leben, Herr Vorstand.

Hudetz Es war Ihre Pflicht und Schuldigkeit, so zu schwören, wie Sie geschworen haben.

Anna *fährt ihn an:* Sie irren, wenn Sie meinen, daß nur ich schuld bin, oh darauf lasse ich mich nicht ein, ich nicht.

Hudetz Wer wär denn sonst noch schuld außer Ihnen?

Anna Nein, nein, nicht nur ich!

Hudetz *ironisch wie ein Staatsanwalt:* Sondern? Vielleicht gar der große Unbekannte?

Anna Vielleicht.

Oben auf dem Viadukt läutet wieder das Signal.

Hudetz blickt empor.

Anna *bange:* Was war das?

Hudetz Ein Signal.

Anna *hält sich plötzlich die Ohren zu, leise:* Ich hör noch immer das Geschrei – ich darf nicht allein sein, Herr Vorstand, dann kommen die Toten, sie sind bös auf mich und wollen mich holen –

Stille.

Hudetz Hörens her: ich war jetzt vier Monate allein, in Einzelhaft, nur mit mir selbst persönlich und da hatt ich reichlich Gelegenheit, mich mit meiner inneren Stimme zu unterhalten, zu jeder Stunde. Wir haben viel miteinander dischkuriert, Fräulein Anna – und das Resultat? „Du bist ein pflichtgetreuer Beamter", hat die innere Stimme zu mir gesagt. „Du hast noch nie ein Signal verpaßt, du bist unschuldig, lieber Thomas" –

Anna *unterbricht ihn:* Unschuldig?

Hudetz Ganz und gar.

Anna *fährt ihn an:* Machen Sie sichs nur nicht gar zu bequem!

Hudetz *schreit sie an:* Ich mach mir nichts bequem, meine einzige Schuld war, daß ich Sie damals nicht gleich verjagt hab, daß ich so höflich mit Ihnen war, daß ich Ihnen nicht gleich eine hingehaut hab, verstanden?

Stille.

Anna *lächelt:* Hinhauen hätten Sie mir eine sollen?

Hudetz Ja. *Stille.*

Anna Schad, daß Sies nicht getan haben –

Hudetz Das tut mir selber leid.

Anna Hauens mir jetzt eine hin. Vielleicht wirds dann besser.

Hudetz *schreit sie wieder an:* Machens da keine blöden Witze, ja?!

Anna Das ist kein Witz. Damals, das war einer, wie ich Ihnen den Kuß –

Hudetz *unterbricht sie:* Redens nicht immer darüber!

Anna *lächelt:* Ich hab sonst nichts zu reden –

Hudetz Dann schweigens gefälligst, sonst passiert noch ein Unglück!

Stille.

Anna Wie meinen Sie das, Herr Vorstand?

Hudetz Was?

Anna Das Unglück. Wird es kommen?

Stille.

Hudetz *fixiert sie:* Ich bin freigesprochen, Fräulein Anna, glänzend frei!

Anna Dann werdens vielleicht noch etwas Größeres anstellen müssen, damit Sie bestraft werden können – *Sie lächelt leise.*

Stille.

Hudetz *fährt sie an:* Schauens mich nicht so an!

Anna *lächelt:* Habens Angst? Vor mir?

Hudetz *starrt sie an:* Jetzt sind Sie ganz weiß –

Anna Das ist nur der Mond, Herr Vorstand –

Hudetz *wie zuvor:* Als hättens keinen Tropfen Blut mehr, keinen Tropfen –

Anna Oh ich hab noch genug! *Sie lacht.*

Hudetz *herrscht sie an:* Hörens auf! *Stille.* Ich geh jetzt.

Anna Wohin?

Hudetz Schlafen.

Anna Können Sie schlafen?

Hudetz Ja. *Er will ab.*

Anna Halt! Herr Vorstand, mein Leben ist plötzlich anders geworden – ich hab mir nichts dabei gedacht, aber jetzt ist alles anders und wenn die Nacht kommt, dann hab ich die Sterne vergessen. Unser Haus, Herr Vorstand, ist kleiner geworden, und den Ferdinand, den seh ich jetzt auch mit ganz anderen Augen – alle sind mir so fremd geworden, mein Vater, die Leni, und alle, alle – nur Sie nicht, Herr Vorstand. Wie Sie gestern gekommen sind, da hab ichs schon gewußt, wie Sie aussehen, Ihre Nase, Ihre Augen, Ihr Kinn, Ihre Ohren – als hätt ich mich an Sie erinnert, dabei haben wir uns doch nie beachtet – aber jetzt kenn ich Sie genau. Gehts Ihnen auch so mit mir?

Hudetz *wendet sich ihr nicht zu, nach einer kleinen Pause:* Ja.

Anna *lächelt leise:* Fein! *Stille.* Herr Vorstand, wenn ich mal sterben werd, dann werd ich auch noch zu Ihnen gehören – wir werden uns immer wieder sehen –

Hudetz *geht langsam auf sie zu, hebt langsam ihr Kinn hoch und sieht ihr in die Augen, als würde er sie leise rufen:* Anna, Anna –

Anna *sehr leise:* Erkennst mich wieder?

Hudetz Ja – *Er küßt sie und sie umarmt ihn.*

Fünftes Bild

Drei Tage später, wieder im Gasthaus zum Wilden Mann. Das „Willkommen", die Lampions und das Tannengrün sind verschwunden. Draußen regnets. Leni beugt sich über einen Tisch und liest die Zeitung. Hudetz tritt links ein.

Leni Grüß Gott, Herr Vorstand.

Hudetz Ein Viertel Roten – *Er setzt sich.*

Leni *perplex:* Seit wann trinken Sie einen Roten?

Hudetz Seit heut.

Leni Komisch. *Sie schenkt ein.*

Stille.

Hudetz Gibts was Neues?

Leni *bringt ihm den Wein:* Immer noch nichts. Man tappt noch im Dunkeln.

Hudetz Hm. *Er trinkt.*

Leni Heut nacht werdens drei Tag, daß sie verschwunden ist, unsere Anna – verschwunden, als hätt sie die Erde verschluckt. Ich hab sie noch als letzte gesehen, – sie hat gesagt, sie geht jetzt schlafen, sie wäre so sehr müd vom Fest, aber ihr Bett war am Morgen unberührt, total unberührt –

Hudetz Hm.

Leni Heut hat der Vater eine Belohnung ausgesetzt für eine zweckdienliche Nachricht – sie haben sich gestern lang über die Höhe beraten, er und der Herr Ferdinand. Hoffentlich ist sie nicht verschleppt worden von Mädchenhändlern oder so –

Hudetz Das sind Märchen.

Leni Herr Vorstand, ich wills ja nicht laut sagen, aber ich glaub, sie lebt jetzt nicht mehr – *Sie stockt und betrachtet plötzlich interessiert seine Wange*. Was habens denn da?

Hudetz Wo?

Leni *neckisch*: Wer hat Sie denn da gekratzt?

Hudetz Niemand. Ich hab mich nur verletzt. An einem rostigen Nagel – *Er grinst.*

Leni *droht ihm neckisch*: Nanana! Gedanken sind zollfrei. *Sie reinigt die Gläser.* Übrigens, wissens es schon, wer seit gestern abend wieder im Land ist? Ihre Frau.

Hudetz *perplex*: Wer?

Leni Ihre Frau, mit der Sie in Scheidung leben –

Hudetz *fällt ihr ins Wort*: Ah, die!

Leni Sie wohnt bei ihrem Bruder, in der Drogerie – derweil hats doch dieser Drogist öffentlich dokumentiert, daß er keine Schwester mehr hat und Sie haben ihn sogar beschützt. Was sagens jetzt?

Hudetz *grinst grimmig*: Ich werd bald gar nichts mehr sagen.

Leni Und wissens, was die Leut sagen? Die findens absolut in Ordnung und keiner kritisiert. Jaja, seits die arme Anna nicht mehr gibt, ist der Drogist direkt zum lieben Gott avanciert – auf einmal redet nur alles voll Hochachtung von ihm. So wetterwendisch sind die Leut!

Die Kirchturmuhr schlägt.

Hudetz Ich pfeif auf die Leut! *Zählt tonlos mit.* Sechs.

leni Schon wieder sechs. Die Stunden gehen –

Hudetz Ja. *Er trinkt, dann gewollt desinteressiert, wie so nebenbei.* Warum glaubens denn, daß das Fräulein Anna nicht mehr lebt?

Leni *sieht sich vorsichtig um und beugt sich ganz in seine Nähe, leise*: Ich schwörs Ihnen zu, sie hat sich was angetan –

Hudetz starrt sie an.

Leni *fixiert ihn.* Könnens das nicht begreifen, Herr Vorstand?

Hudetz *momentan verwirrt*: Ich? Wieso? Was wollens damit sagen?

Leni *wie zuvor*: Habens noch nichts gehört?

Hudetz Was? Was hab ich denn damit zu tun? So redens doch?

Leni Sie werden mir nicht bös sein –

Hudetz Ich bin nicht bös, los!

Leni *sieht sich wieder vorsichtig um, noch leiser wie zuvor*: Seit die arme Anna verschwunden ist, glauben ihr die Leut nicht mehr – sie sagen sogar, Herr Vorstand wären sicher nicht so sehr traurig, wenn das Fräulein Anna nicht mehr reden könnt – *Hudetz starrt sie an*. Sie sagen, die Anna hätt den Tod gesucht, weil sie keine Ruhe mehr gefunden hat vor ihrer inneren Stimme.

Hudetz *wie zuvor*: Innerer Stimme?

Leni Die Leut glauben, daß unsere Anna falsch geschworen hat, einen Meineid, weil – *Sie stockt.*

Hudetz *lauernd*: Weil?

Leni Weil Sie, Herr Vorstand, das Signal nicht rechtzeitig gestellt haben sollen – *Stille.*

Hudetz lacht und wird plötzlich wieder ernst.

Stille.

Was werdens jetzt tun, Herr Vorstand?

Hudetz Ich hab das Signal rechtzeitig gestellt. Ich war immer ein pflichtgetreuer Beamter – *Er trinkt.*

Gendarm kommt von links, er ist sehr ernst.

Leni Grüß Gott, Herr Inspektor!

Gendarm Ist der Herr zu Haus?

Leni Ja.

Gendarm Ich muß ihn sprechen, sofort.

Leni *entsetzt*: Um Gottes willen, was ist denn passiert?

Gendarm Wir haben die Anna gefunden. Sie ist tot.

Leni Jesus Maria! *Sie bekreuzigt sich.* Sie hat sich also doch was angetan.

Gendarm Nein, sie hat sich nichts angetan, sie ist ermordet worden.

Leni Ermordet –

Gendarm Wir verfolgen schon eine bestimmte Spur. Sie ist beim Viadukt gefunden worden, unten, und wir hatten Nachricht, daß sich lichtscheues Gesindel herumtreibt, Zigeuner – *Zu Hudetz.* Mir scheint, ich habs auch Ihnen erzählt, Herr Vorstand –

Hudetz Stimmt.

Gendarm Das war in derselben Nacht, wo wir uns beim Viadukt getroffen haben, unten –

Hudetz Stimmt.

Gendarm Sagens, Herr Vorstand, haben Sie damals nicht irgendwas Verdächtiges bemerkt?

Hudetz Nein.

Gendarm Hm. *Er sieht Hudetz groß an.* Gottes Mühlen mahlen langsam –

Hudetz Ich habe keine Zigeuner gesehen.

Gendarm Sie wurde auch von keinem Zigeuner ermordet. – Wiedersehen, Herr Vorstand!

Hudetz Wiedersehen!

Gendarm ab nach rechts.

Stille.

Leni *starrt ihn an*: Sie waren damals beim Viadukt?

Hudetz Ja. *Er erhebt sich.*

Leni Sie gehen schon?

Hudetz Zahlen.

Leni *schreit ihn plötzlich an*: Herr Vorstand, was haben Sie beim Viadukt getan?

Hudetz Ich? Er lächelt. Ich habe mich mit dem Fräulein Anna verlobt – *Er salutiert und rasch ab nach links.*

Sechstes Bild

Drei Tage später, in der Drogerie. Im Hintergrund das Pult, im Vordergrund links ein kleiner Tisch und zwei Stühle. Rechts die Eingangstür und ein Teil der Auslage von innen, links führt eine Tapetentür in die Privatwohnung. Es ist spät am Nachmittag, kurz vor Ladenschluß.

Frau Leimgruber Es kann Ihnen wirklich leid tun, daß Sie nicht bei dem Begräbnis waren von dem armen Kind, es war wirklich großartig! Von weit und breit waren die Leut da, noch mehr wie damals bei der Eisenbahnkatastrophe, sogar Zeitungsleut und das Grab ist abphotographiert worden für die Illustrierte Volksstimme von allen Windrichtungen! Und Blumen hats gegeben – eine wahre Pracht! Sie haben wirklich was versäumt, ich kanns zwar lebhaft nachfühlen, daß Sie dem letzten Gang unseres armen Annerl nicht beiwohnen wollten, wo doch Ihr ehemaliger Schwager – versteh – versteh! Taktgefühl, Taktgefühl! Herr, was treibens denn da?! Nein, das Paket ist mir viel zu groß, machens mir lieber zwei.

Alfons Wie Sie wünschen –

Frau Leimgruber Ich bitte darum, wissens, der Vater, der Ärmste, schmerzgebeugt, war sehr gefaßt, aber der Bräutigam, der Ferdinand, also der war ganz zusammengebrochen, ein einziges Trumm von einer Ruine – die Tränen sind ihm so heruntergelaufen, es war zum Herzerbarmen. Jaja, man sollte gar nicht meinen, wieviel zartes Gefühl in so einem rauhen Lackl von Fleischhauer stecken kann und umgekehrt. Ich sag ja: grad in dem wildesten Mann pocht oft nur ein Kinderherz. Armes Annerl! Jetzt bist eingegraben und liegst allein, jetzt deckt dich niemand mehr zu, wenns regnet. Da schauns, das sind ihre Sterbebildchen, zur Erinnerung an den Todestag – da, ich schenk Ihnen eins, ich hab eh eine ganze Mass – *Sie legt eins auf das Pult.*

Alfons *sieht nicht hin*: Danke, Frau Leimgruber.

Stille.

Frau Leimgruber Und wie gehts der verehrten Frau Schwester? Das werte Befinden?

Alfons l *ächelt*: Es geht so –

Frau Leimgruber Natürlich, natürlich! Sie hat ja auch viel Aufregerei hinter sich, aber ich an ihrer Stell wär froh, daß er nicht mich umgebracht hat – wär ja auch möglich gewesen. Ich hab mir heut während der ganzen Trauerzeremonie gedacht, es muß doch eine gewaltige Genugtuung für sie sein, daß dieser saubere Vorstand verfolgt wird, dieser Hudetz, dieser Schwerverbrecher – hoffentlich erwischens ihn bald. Wissens, ich freu mich aufrichtig, daß das Eis um Sie gebrochen ist, alles spricht voller Ehrerbietung von Ihnen und Ihrer unglücklichen Frau Schwester, als tät sogar ein jeder ein bisserl Reue verspüren –

Alfons Reue hat noch keiner bereut. Aber ich möcht jetzt nur eins konstatieren: Genugtuung empfind ich nicht. Mir wärs lieber, die schreckliche Tat wär niemals verbrochen worden.

Frau Leimgruber Geh – geh – geh! Also das ist schon wieder zu edel! Passens nur auf, daß Sie am End nicht zu großartig werden, denn dann Werdens wieder antipathisch.

Alfons Ich sag nur meine innerste Überzeugung.

Frau Leimgruber Die Wahrheit liegt woanders.

Alfons Meine Schwester ist angespuckt worden, weil sie die Wahrheit gesagt hat.

Frau Leimgruber Das war eben ein Irrtum, ein krasser! Aber in dieser Thomas-Hudetz-Affäre, da gibts keine Irrtümer! Dieser

Hudetz hat uns unser armes Annerl verführt, einen Meineid zu schwören, es war sein verbrecherischer Einfluß und sonst nichts, aber wie sie dann zusammengebrochen ist unter ihrer schweren Schuld und hat reuig alles bekennen wollen, da hat er sie eben einfach umgebracht – und auch nicht sie hat ihm einen Kuß gegeben, seinerzeit am Bahnhof, sondern er ihr, und auch keinen Kuß, sondern vergewaltigen hat er sie wollen, in seinem Dienstzimmer, dabei ist sie auf den Signalhebel gefallen –

Alfons *unterbricht sie empört*: Woher wollens denn das wissen? Waren Sie dabei?

Frau Leimgruber Erlaubens mal!

Alfons Ich vertrags nicht! Ich sag sogar: solang es nicht sonnenklar bewiesen ist, daß er der Mörder ist, solang er es nicht selber gesteht, freiwillig gesteht, solang glaub ich überhaupt an keine Schuld.

Frau Leimgruber Mir scheint, Sie glauben an überhaupt nichts mehr? An keinen Herrgott im Himmel und an gar nichts.

Alfons Von Ihnen werd ichs mir sagen lassen, wo der liebe Gott wohnt, was? Der Hudetz ist noch lang nicht der Schlechteste, merkens Ihnen das, Frau Leimgruber!

Frau Leimgruber *sehr spitz*: Ah, hier wird man mit Mördern verglichen.

Alfons Erinnerns Ihnen nur, wie er mich in Schutz genommen hat, als Ihr mich verprügeln wolltet.

Frau Leimgruber *gehässig*: Vielleicht wärs besser gewesen, wenn er Sie nicht beschützt hätt! Meiner Seel, mit Ihnen kann man wirklich nicht anständig verkehren – es geht und geht nicht! *Sie reißt ihm ihre beiden Pakete aus der Hand und rasch ab nach rechts.*

Alfons *allein. Er lächelt still und hält sich die Hand vor die Augen. Die Kirchturmuhr schlägt siebenmal. Sieht auf seine Taschenuhr*: Schluß. Wieder ein Tag – *Langsam ab durch die Eingangstür, man hört, wie er draußen den eisernen Rolladen der Auslage herunterzieht.*

Frau Hudetz kommt durch die Tapetentür mit dem Abendessen auf einem Tablett. Sie deckt den Tisch.

Alfons erscheint wieder in der Eingangstür und schließt sie von innen ab, dann setzt er sich an den kleinen Tisch und ißt.

Frau Hudetz *hat sich auch bereits gesetzt und zu essen begonnen, plötzlich*: Du hast dich wieder mit der Kundschaft unterhalten, über ihn?

Alfons Ja.

Frau Hudetz Ich habs bis in die Küche gehört, zwar nicht alles, aber du hast ihn wieder in Schutz genommen?

Alfons Ja.

Stille.

Frau Hudetz Sag: könnten wir eigentlich nicht drüben im Zimmer essen? Hier riechts immer so nach Chemikalien.

Alfons Dann müßten wir das Zimmer heizen.

Frau Hudetz *lächelt etwas spitz*: Ich habe nie gewußt, daß du ein geiziger Mensch bist –

Alfons Wenn ich nicht geizig wäre, könntest du nicht ans Meer fahren.

Stille.

Frau Hudetz Dann essen wir ab morgen in der Küche.

Alfons Ich hab zwar noch nie in der Küche gegessen, aber bitte!

Stille.

Frau Hudetz Schmeckts?

Alfons Ja.

Stille.

Frau Hudetz Was willst du morgen essen?

Alfons Was du mir kochst.

Frau Hudetz *hört plötzlich auf zu essen und legt Messer und Gabel neben ihren Teller*: Manchmal frag ich mich, für welche Verbrechen wir büßen müssen –

Alfons Für unsere eigenen.

Frau Hudetz Nein, ich habe keine –

Alfons Doch.

Frau Hudetz Ich bin mir keines Verbrechens bewußt.

Alfons Das hat nichts zu sagen. Du wirst es halt vergessen haben.

Frau Hudetz *spitz*: Meinst du?

Alfons Es ist meine innerste Überzeugung.

Frau Hudetz Die Wahrheit liegt woanders.

Alfons Du sprichst wie die Frau Leimgruber –

Frau Hudetz *sehr spitz*: Ah, hier wird man mit Verleumderinnen verglichen –

Alfons *lächelt*: Die Leimgruber, die Leimgruber!

Frau Hudetz *fixiert ihn kalt, zuckt dann die Schultern*: Ich bin unschuldig.

Alfons Unschuldig?! *Er lacht.*

Frau Hudetz *herrscht ihn an*: Lach nicht! Sag mir ein Verbrechen, ein einziges meiner Verbrechen!

Alfons *erhebt sich und geht auf und ab*: Ich erinnere mich, wie du mir gesagt hast, der Thomas will nichts mehr von mir, aber dann soll er auch keine andere anschauen, keine! Dazu hast du kein Recht gehabt, das war ein Verbrechen!

Frau Hudetz *höhnisch*: Für dieses Verbrechen übernehme ich die Verantwortung.

Alfons Dann schrei nicht, wenn du bestraft wirst. Klag nicht an, daß du verfolgt wirst. Du warst um dreizehn Jahre älter, du mußtest es wissen und fühlen – aber du hast seine Liebe erpressen wollen, jawohl, erpressen!

Frau Hudetz Bell nur! Was weißt du von uns Frauen! Dich mag ja keine –

Alfons *fixiert sie*: Hast du gesagt: „Ich haß ihn, jawohl ich hasse ihn, und ich könnt ihn, wenn er neben mir liegt in der Nacht, erschlagen“ – *Er fährt sie an.* Hast du das gesagt? Ja oder Nein?!

Frau Hudetz *unheimlich ruhig*: Ja. Aber ich hab ihn doch nicht erschlagen. *Sie grinst.*

Alfons Vielleicht.

Stille.

Frau Hudetz Du tust ja direkt, als hätt ich das Signal verpaßt, als wären durch mich achtzehn Personen umgekommen.

Alfons *fällt ihr ins Wort*: Das hängt alles zusammen.

Frau Hudetz *schreit ihn plötzlich an*: Hab denn vielleicht auch ich das Mädel, die Anna –

Es klopft an der Eingangstür.

Die zwei zucken zusammen und lauschen.

Frau Hudetz *bange.* Wer klopft da?

Es klopft abermals.

Alfons *wendet sich der Eingangstür zu*: Werden sehen –

Frau Hudetz Gib acht, Alfons!

Alfons *öffnet die Eingangstür und schreckt etwas zurück, unterdrückt*: Du bists?

Hudetz tritt ein in zerknüllter Uniform, ohne Kappe.

Frau Hudetz *schreit unterdrückt auf*: Thomas!

Alfons schließt rasch die Eingangstür.

Hudetz beachtet die beiden nicht, geht langsam an den kleinen Tisch, betrachtet die Reste, nimmt langsam eine Semmel und ißt apathisch. Die zwei starren ihn an.

Hudetz *hört auf zu essen, blickt die beiden an und lächelt*: Wie gehts euch?

Frau Hudetz Thomas, hast du den Verstand verloren?

Hudetz *herrscht sie an*: Ruhe! Schrei nicht! Er sieht sich mißtrauisch um.

Alfons Du wirst verfolgt?

Hudetz *grinst*: Natürlich.

Stille.

Alfons Was willst du von uns?

Hudetz Ich hab mich bis heut im Wald versteckt und bin jetzt heimlich her – *Er grinst*. Fürchtet euch nicht. Es hat mich keiner gesehen – *Er wird ernst, sachlich*. Ich brauch einen Anzug, Zivil. Ich muß nämlich fort und das geht nicht in Uniform.

Stille.

Also bekomm ich den Anzug oder nicht?

Frau Hudetz *fährt ihn an*: Was ziehst du uns da hinein zu dir?! Das wär ja Vorschubleistung. Laß meinen Bruder aus dem Spiel, du hast mich genug gequält. Laß uns in Frieden!

Hudetz *grinst wieder*: Habt ihr Frieden?

Stille.

Alfons Wir trachten nach Frieden. Und trachten guten Willens zu sein.

Hudetz Du vielleicht schon –

Alfons *herrscht ihn an*: Hör auf mit diesem Ton! Geh lieber in dich!

Stille.

Hudetz *grinst*: Wohin soll ich gehen? In mich hinein? Was tät ich denn da finden?

Alfons Schau nach.

Hudetz horcht auf und grinst nicht mehr.

Stille.

Hudetz Es ist alles umzingelt mit Gehdarmerie und Militär. Aber ich komm durch. Ich trete die Strafe nicht an. Ich berufe, denn ich kann nichts dafür.

Alfons Meinst du?

Hudetz Ich bin unschuldig.

Frau Hudetz *lacht hysterisch*: Die Frau Leimgruber, die Frau Leimgruber!

Hudetz Lach nicht!

Frau Hudetz Aber das ist ja auch zu komisch – *Sie setzt sich an den kleinen Tisch, beugt sich über die Tischplatte und weint.*

Hudetz *zu Alfons*: Was hat sie denn?

Stille.

Alfons Thomas, ich wollt es eigentlich nicht glauben –

Hudetz Was? – Ach so! – Ja, das hilft dir nichts, du mußt es glauben. – Ich hab mich mit der Anna „verlobt".

Frau Hudetz *entsetzt*: Verlobt?!

Hudetz *nickt ja*: Beim Viadukt. Hm – *Er lächelt.* Ich hab sie gepackt und geschüttelt, aber sie war nicht mehr da – ich hab noch nach ihr gerufen, aber sie gab keinen Laut mehr von sich. Dann bin ich nach Haus und hab mich niedergelegt. Ich hab plötzlich wieder schlafen können, seit vier Monaten, wie ein pflichtgetreuer Beamter – *Er lächelt.* Na. *Er denkt nach und faßt sich langsam an den Kopf.* Ja, und dann hätt ich euch noch was zu fragen: ich weiß, daß ich sie umgebracht hab, aber ich weiß nicht wie – wie? *Er blickt zu Alfons und Frau Hudetz.* Wie hab ich sie denn nur?

Die zwei starren ihn entgeistert an.

Habt ihr denn nichts in der Zeitung gelesen?

Alfons Nein, wir wollten nichts darüber lesen.

Hudetz Wenn ich das nur wüßt –

Alfons Was war dann?

Hudetz Dann – ja, dann würd ich mich kennen, besser kennen –

Stille.

Hudetz *zu Frau Hudetz*: Weißt du, daß ich dich immer verteidigt habe?

Frau Hudetz Ja. Aber dafür hast du auch immer an eine andere gedacht, wenn du bei mir warst –

Hudetz *nickt ihr lächelnd zu*: An meine Verlobte –

Frau Hudetz Ach Thomas! Reden wir nicht mehr darüber, ich bin so müd.

Hudetz Ich auch. Aber ich muß noch weit weg –

Alfons *zu Frau Hudetz*: Bring ihm meinen grauen Anzug. So geh schon.

Frau Hudetz *zu Alfons*: Er bringt dich noch ins Unglück!

Alfons Geh!

Frau Hudetz ab durch die Tapetentür.

Stille.

Hudetz Jemand hat mir mal gesagt: „Sie wurden freigesprochen, mein Herr und Sie werden noch etwas Großes verbrechen müssen, um bestraft werden zu können" – *Er hält sich die Hand vor die Augen*. Wer hat denn das nur gesagt – wer?

Alfons Wars nicht die Anna?

Hudetz *zuckt zusammen und starrt Alfons erstaunt an*: Ja. Woher weißt du denn das?

Alfons Ich war nicht dabei – *Er lächelt.*

Stille.

Hudetz *fixiert Alfons*: Nicht dabei? Ich auch nicht – *Er lächelt und entdeckt auf dem Pult das Sterbebildchen.* Was ist denn das. *Er liest.* „Zur frommen Erinnerung an die ehrengeachtete Jungfrau Anna Lechner, Gastwirtstochter dahier" – *Zu Alfons*: Wars ein schönes Begräbnis?

Alfons Ja.

Hudetz *lächelt leise und glücklich und betrachtet noch weiter das Sterbebildchen, wird ernst und liest, als würd er es nur vorlesen*:

Halte still, Du Wandersmann
Und sieh Dir meine Wunden an
Die Stunden gehn Die Wunden stehn
Nimm Dich in acht und hüte Dich
Was ich am jüngsten Tag über Dich
Für ein Urteil sprich –

Frau Hudetz *kommt mit dem grauen Anzug und legt ihn auf einen Stuhl; zu Hudetz, der nachdenkt*: Geh jetzt, Thomas –

Hudetz *wie zu sich selbst*: Ja – *Er wendet sich der Eingangstüre zu.*

Frau Hudetz Und der Anzug?

Hudetz *blickt auf den Anzug und sieht dann die zwei groß an, er lächelt*: Danke – nein – *Ab durch die Eingangstür.*

Siebentes Bild

Auf dem Bahndamm, wo seinerzeit der Eilzug 405 mit einem Güterzug zusammengestoßen ist. Es ist tiefe Nacht und das Signal steht auf Grün, auf freie Fahrt. Von rechts kommt der Gendarm mit aufgepflanztem Bajonett, gefolgt vom Wirt und von Ferdinand, die sich mit ihren Jagdgewehren bewaffnet haben. Sie gehen nach links.

Wirt *hält plötzlich und lauscht in die Finsternis:* Dort ist doch einer. – Hallo! Wer da?!

Stille.

Gendarm Nichts. Das ist oft nur die Nacht, die man hört.

Wirt *grimmig:* Der wird uns noch entkommen –

Gendarm Das wird er nicht, garantiert. Die ganze Umgebung ist alarmiert, alles ist umzingelt.

Ferdinand *schluchzt plötzlich rührselig:* Oh mein Annerl, liebes armes Annerl – wo bist du wohl jetzt?

Gendarm Im Paradies.

Ferdinand Was hat man davon – *Er holt eine Flasche hervor und säuft.*

Wirt *unterdrückt:* Sauf nicht soviel.

Ferdinand Ich sauf aber, denn ich hab sie nicht beschützt, meine Herrschaften. – Ach Annerl, Annerl, ich bin ja überhaupt ein schlechter Mensch, ein miserabler Charakter.

Wirt Ermann dich.

Ferdinand *herrscht den Wirt an:* Ich ermann mich nicht. Du bist ja nur der Vater, aber ich, ich bin der Bräutigam und sie war meine große Liebe, bitt ich mir aus. *Er trinkt wieder.*

Alfons kommt von rechts, erblickt die drei und hält.

Die drei erblicken ihn und starren ihn entgeistert an.

Alfons Guten Abend.

Stille.

Wirt *findet als erster seine Sprache wieder*: Du, du traust dich mir vor meine Augen –

Alfons *fällt ihm ins Wort*: Ja. *Zum Gendarm.* Herr Inspektor, ich suche Sie.

Gendarm Wo steckt Ihr Schwager?

Alfons *lächelt etwas unsicher*: Ach, ihr wißt es bereits –

Gendarm *perplex*: Was denn? –

Wirt Wie der lächelt – *Er starrt Alfons gehässig an.*

Alfons Ja, mein Schwager Thomas Hudetz ist heut abend bei mir erschienen –

Ferdinand *fällt ihm ins Wort*: Erschienen?!

Alfons Unerwartet.

Wirt *höhnisch*: Unerwartet?

Alfons Ja. *Zum Gendarm.* Er kam zu mir und verlangte einen anderen Anzug –

Gendarm *fällt ihm scharf ins Wort*: Und Sie? Sie haben ihm einen anderen Anzug gegeben, was?

Alfons *nach einer kleinen Pause*: Er hat es sich selbst wieder überlegt – *Er lächelt*. Ja, er verzichtete. Und ich, Herr Inspektor, hab es mir auch überlegt, ob man es melden soll, daß er zu mir um Hilfe gekommen ist, aber ich glaube, man muß es melden – auch in seinem Interesse.

Ferdinand Der hat kein Interesse, merk dir das!

Wirt Wo steckt er denn, der Herr Schwager?! Wo ist er denn hin, unser geliebter Herr Vorstand?

Alfons Wie er mich vorhin verlassen hat, bin ich ihm gleich nach – aber dann hab ich ihn aus den Augen verloren. – Er ging den Weg zum Viadukt.

Wirt Zum Viadukt? *Er faßt sich ans Herz*.

Alfons Ja. Gott steh ihm bei.

Stille.

Wirds euch jetzt klar, warum er den anderen Anzug nicht nahm?

Gendarm Warum?

Alfons Ein Viadukt ist zumeist sehr hoch – *Er lächelt seltsam.*

Stille.

Gendarm Ach, Sie meinen, daß er hinunterspringt?

Ferdinand Hinunter?

Alfons Ich fürchte, daß er sich selbst richtet –

Wirt Sich selbst richten? Also das gibts nicht. Das laß ich nicht zu! Das wär ja zu einfach. Was bildt sich denn der ein?! Mein Kind erschlagen, mein einziges Kind, und dann einfach sich selbst –?! Ah, das war zu bequem!

Ferdinand Eingesperrt gehört er und geköpft. Kopf ab, Kopf ab.

Gendarm Ein korrektes Gerichtsverfahren –

Wirt *fällt ihm ins Wort*: Den hole ich mir jetzt. Zum Viadukt! *Rasch ab nach links.*

Ferdinand Ich hol ihn auch – los, Herr Inspektor! *Zu Alfons.* Und du geh schlafen. *Rasch ab nach links.*

Alfons Nein, ich hol ihn auch. Er soll sich der irdischen Gerechtigkeit nicht entziehen.

Gendarm Bravo! *Ab mit Alfons nach links.*

Pokorny *ein seliger Lokomotivführer, tritt aus der Finsternis vor und raucht eine Virginia, er blickt Alfons nach und grinst*: Idiot, mit deiner irdischen Gerechtigkeit –

Das Signal läutet und wechselt auf Rot. Ein Streckengeher erscheint auf dem Bahndamm, er trägt eine Lampe auf der Brust und man kann sein Gesicht nicht erkennen.

Pokorny *leise*: Servus, Kreitmeyer!

Streckengeher *hält, er hat eine sanfte Stimme*: Meine Hochachtung, Herr Lokomotivführer!

Pokorny Wo steckt er denn?

Streckengeher Beim Viadukt.

Pokorny Ist er schon hinunter?

Streckengeher Nein. Mir scheint, er hat Angst –

Pokorny Angst? Man müßt halt noch mal mit ihm reden –

Streckengeher *ängstlich*: Tuns das nicht!

Pokorny Und ob ichs tu! Und wenns mich tausend Jahre kostet – das ist es mir wert! Hast denn du nicht auch dran glauben müssen?! Warst denn du nicht auch im Zug?! Erinnere dich nur, wie wir erwacht sind und es blieb immer Nacht!

Streckengeher Das schon.

Pokorny Na also! Hoffentlich werdens ihn nicht verhaften, bevor er noch dazu kommt –

Streckengeher *unterbricht ihn:* Still! *Er lauscht.*

Pokorny *lauscht auch:* Ich hör ihn –

Streckengeher Er kommt.

Stille.

Pokorny Er denkt, ein Viadukt ist zwar sehr hoch, aber vielleicht ist man doch nicht gleich hin –

Streckengeher Er denkt, ich werf mich lieber vor den Zug –

Pokorny Sicher ist sicher.

Hudetz kommt langsam von links.

Streckengeher richtet den Lichtstrahl seiner Lampe auf Hudetz. Hudetz erschrickt sehr und hält.

Streckengeher Guten Abend, Herr Vorstand!

Hudetz starrt ihn entgeistert an.

Ich seh nur nach, ob alles in Ordnung ist auf der Strecke –

Hudetz erblickt Pokorny und will rasch ab.

Pokorny Halt!

Hudetz hält.

Streckengeher Aber Herr Vorstand, der Herr Pokorny möcht doch nur reden mit Ihnen –

Pokorny *verbeugt sich leicht:* Lokomotivführer Pokorny.

Streckengeher Bleibens nur da, wir verraten Sie nicht.

Hudetz *bange:* Wer spricht da mit mir?

Pokorny Ich führte den Eilzug 405, der damals hier zusammengestoßen ist. – Was glotzens mich denn so an? Meinens, man könnt mit einem Toten nicht reden? Man kann schon, aber nur, wenn der Tote möcht – *Er lacht kurz.*

Streckengeher *lächelt:* Gelt, da wirds Ihnen ganz anders?

Hudetz *schreit plötzlich den Streckengeher an:* Tuns die Lampe weg, damit ich das Gesicht seh!

Streckengeher *seelenruhig*: Ich hab kein Gesicht.

Jetzt weht der Wind und es klingt wie Posaunen in weiter Ferne.

Hudetz horcht auf.

Pokorny *zum Streckengeher, heiter, jedoch nicht ohne Hinterlist*: Schau nur die Angst – er hätt zwar auch allen Grund dazu, denn wer ist denn schuld, daß ich nimmer bin.

Hudetz *fällt ihm ins Wort*: Ich nicht.

Stille.

Pokorny *nähert sich Hudetz*: Also, du willst dich der irdischen Gerechtigkeit entziehen – recht hast! Was hättest auch von deinem Leben? Lebenslänglich im besten Fall.

Stille.

Hudetz Was du sagst, das sind doch meine Gedanken – aber ich geh noch etwas weiter darüber hinaus.

Pokorny *perplex*: Darüber hinaus?

Hudetz Ja. Ich bin nämlich eigentlich unschuldig – und wenn ich vor Gericht gestellt werden soll, dann möcht ich aber gleich vor die höchste Instanz. Wenn es einen lieben Gott gibt, der wird mich schon verstehen –

Pokorny *grinst*: Sicher.

Jetzt weht wieder der Wind wie zuvor.

Hudetz horcht unangenehm wieder auf.

Anna kommt langsam von rechts und hält.

Hudetz *erblickt sie entsetzt*: Anna!

Stille.

Anna *sieht Hudetz groß an*: Herr Vorstand haben ein Signal –

Pokorny *unterbricht sie*: Daran waren Sie schuld, Fräulein, Sie und nur Sie.

Streckengeher Ist das auch wahr?

Anna *als würde sie eine Schulaufgabe aufsagen*: Er hat das Signal vergessen, weil ich ihm einen Kuß gegeben hab, aber ich hätt ihm nie einen Kuß gegeben, wenn er nicht eine Frau gehabt hätte, die er nie geliebt –

Pokorny *unterbricht sie wieder*: Was soll das?

Anna *sieht Hudetz groß an*: Ich kann nicht mehr lügen.

Hudetz *herrscht sie plötzlich an*: Hab denn ich das Lügen erfunden?

Stille.

Anna *läßt Hudetz nicht aus den Augen*: Erinnerst du dich, daß ich dich beim Viadukt gefragt hab: „Erkennst mich wieder?“

Hudetz *leise*: Ja.

Anna Du hast mich wiedererkannt.

Hudetz *unsicher*: Das weiß ich nicht.

Anna Aber ich. Denn du hast mich genauso umarmt wie damals.

Hudetz Wie wann?

Anna Wie damals, da wir fortgingen. Der Himmel war wie ein strenger Engel, wir hörten die Worte und hatten Angst, sie zu verstehen – oh so Angst – es waren schwere Zeiten, erinnerst du dich? Im Schweiße unseres Angesichts –

Hudetz *unterbricht sie*: Du warst schuld! Wer hat denn zu mir gesagt: „Nimm! Nimm!“?

Anna Ich.

Hudetz Und was hab ich getan?

Anna *lächelt*: Oh wie oft hast du mich schon erschlagen, und wie oft wirst du mich noch erschlagen – -es tut mir schon gar nicht mehr weh.

Hudetz Tuts dir wohl?

Anna schrickt zusammen und starrt ihn entsetzt an.

Jetzt läutet wieder das Signal und wechselt auf Grün.

Streckengeher Jetzt kommt bald der Zug.

Pokorny Er hat meistens Verspätung.

Streckengeher Stimmt, weil er auf den Anschlußzug warten muß –

Hudetz *wendet sich plötzlich an Pokorny, leise*: Sag mal, wie ist es denn eigentlich drüben?

Pokorny Bei uns? Friedlich, sehr friedlich! Weißt, wie in einem stillen, ländlichen Wirtshaus, wenns anfängt zu dämmern – draußen liegt Schnee und du hörst nur die Uhr – ewig, ewig – liest deine Zeitung und trinkst dein Bier und mußt nie zahlen –

Hudetz *lächelt*: Wirklich?

Pokorny Wir spielen oft auch Tarock und ein jeder gewinnt – oder verliert, je nach dem, was einer lieber tut. Man ist direkt froh, daß man nimmer lebt.

Nun nähert sich der Eilzug 405.

Alle horchen auf.

Pokorny leise zu Hudetz, damit es Anna nicht hört. Jetzt kommt dein Zug –

Hudetz wendet sich langsam dem Bahndamm zu.

Anna *schreit ihn plötzlich entsetzt an*: Nein! Was willst du tun?!

Pokorny *zu Anna*: Mischen Sie sich da nicht hinein!

Hudetz *zu Anna*: Ich treff meinen Kollegen Pokorny.

Pokorny Wir spielen Tarock.

Anna Tarock?

Hudetz Ja. Draußen liegt Schnee, aber innen im Ofen brennt das Feuer und wärmt –

Anna *unterbricht ihn*: Das ist kein Feuer, das wärmt. Glaub nicht deinem Kollegen. Er will dich ja nur holen, um sich zu rächen, weil er nicht mehr lebt.

Pokorny *zu Anna*: Ruhe!

Anna *zu Hudetz*: Ich bin nicht ruhig. Oh glaub es mir, es ist furchtbar, wo wir hier sind! Bleib, bleib leben, du!

Pokorny *zu Hudetz*: Hör nicht auf sie! Der Zug kommt!

Anna *klammert sich plötzlich an Hudetz*: Bleib leben, du! Bleib leben! *Sie schreit*. Herr Inspektor!

Nun fährt der Eilzug 405 donnernd und pfeifend vorbei – es wird ganz finster. Als es wieder heller wird, steht Hudetz neben dem Bahndamm und links im Vordergrund der Gendarm, der Wirt, Ferdinand und Alfons. Alle anderen sind unsichtbar.

Alfons Thomas!

Hudetz *geht langsam auf den Gendarm zu*: Herr Inspektor, ich melde mich zur Stelle.

Gendarm Im Namen des Gesetzes.

Hudetz *zu Alfons:* Ich hab mirs nämlich überlegt – *Er nickt ihm lächelnd zu.*

Wirt *mit der Hand am Herz:* Endlich! Jetzt kommt dann der Kopf dran, der Kopf –

Hudetz Möglich. Die Hauptsach ist, daß man sich nicht selber verurteilt oder freispricht – *Er lächelt.*

Ferdinand *schreit plötzlich:* Fesselt ihn, fesselt ihn!

Hudetz Nicht nötig.

Ferdinand Frech auch noch? Wart, dir hau ich eine hin – *Er will auf ihn los.*

Alfons Halt! Tuts mir den Gefallen und laßt ihm seinen Frieden!

Hudetz *zu Alfons:* Danke.

Gendarm *zu Hudetz:* Kommens jetzt –

Jetzt geht wieder der Wind wie zuvor.

Hudetz *horcht plötzlich auf:* Still! *Er lauscht.* Waren das jetzt nicht Posaunen?

Alfons Es war nur der Wind.

Hudetz *nickt Alfons lächelnd zu:* Das glaubst du ja selber nicht –

Lightning Source UK Ltd.
Milton Keynes UK
UKHW051829241022
411033UK00005B/483